人文立社
讀者主心

留守中国

中国农村留守儿童妇女老人调查

刘旦　陈翔　王鹤　李栋　徐静　著

廣東省出版集團
广东人民出版社
·广州·

图书在版编目（CIP）数据

留守中国：中国农村留守儿童妇女老人调查 / 刘旦等著.—广州：广东人民出版社，2013.7
ISBN 978-7-218-08635-4

Ⅰ.①留… Ⅱ.①刘… Ⅲ.①农村—儿童—生活状况—调查报告—中国②农村—妇女—生活状况—调查报告—中国③农村—老年人—生活状况—调查报告—中国 Ⅳ.①D669

中国版本图书馆CIP数据核字（2013）第070141号

iúshǒu zhōngguó
留 守 中 国
刘旦等 著

出 版 人：曾 莹

责任编辑：施 勇
封面设计：郑梓煜
责任技编：周 杰 黎碧霞
电　　话：（020）83798714（总编室）
传　　真：（020）83780199
网　　址：http://www.gdpph.com
印　　刷：广东信源彩色印务有限公司
书　　号：ISBN 978-7-218-08635-4
开　　本：890 mm × 1240 mm 1/32
印　　张：6　　插　页：10　　字　数：150 千
版　　次：2013年7月第1版 2013年7月第1次印刷
定　　价：28.00 元

如发现印装质量问题，影响阅读，请与出版社（020-83795749）联系调换。
售书热线：（020）83795240　　邮　购：（020）83795240

序

直击中国城市化的软肋

两年前，作者以《流动中国》（广东人民出版社）一书，描绘了一幅当代中国城市化波澜壮阔、激荡人心的图景，给人们留下深刻印象。虽然从书中可以看到流动中国的问题，但展现更多的是改革开放大潮推动中国大地大规模城市化，解放广大农村劳动力，并迸发出极大人口红利的可喜景象。

今天，作者又呈现给广大读者《留守中国》一书，作为《流动中国》的姊妹篇，直击的是中国城市化的软肋——遍布中国乡村特别是中西部贫困地区乡村的留守儿童、留守妇女和留守老人，让人们看到中国粗放型城市化进退失据的悲凉图景，其“城挤、乡弱、村空”的现实，让人揪心中国这个传统农业大国根基动摇，有失血之虞。家庭资源、社会资源和教育资源的严重不平等，将让5800万下一代人心理失衡，严重危及社会稳定，如果在短期内不能得到改善，甚至可能给中国的未来带来致命一击。

更何况，对以“为人民服务”为宗旨的执政党来说，对工人农民当家做主的共和国来说，农村与农民的困境，更可能意味着执政基础的沙化与执政目标的空置。兹事体大，值得大声疾呼。作者以新闻人的敏感与敏锐，从宏观到微观梳理了“留守中国”诸多线索，让我们对农村“留守”现象有了更直观、更具体、更生动的认识。

改革开放30多年来，城市化大潮席卷中国乡村，农民兄弟确实从中得到了实惠，但与此同时他们付出的代价也极为沉重。从某种意义上说，是朴实廉价的他们，托举了中国经济起飞的奇迹。全世界没有人能够否认，中国在不容置疑地崛起。然而，在世界性经济危机中顽强凸现的“中国时刻”，不独带着经济腾飞的耀眼辉煌，也带着“留守中国”的痛楚与凄惶。

这是古老中国数千年来未有之大变局，而我们对这份痛楚与凄惶，还没有足够的警觉与应对之策！

几乎每一个中国人都有故园之思。故乡在哪里？中国人的故乡大多在乡村，那里有“竹喧归浣女，莲动下渔舟”的温存旖旎，有“渡头余落日，墟里上孤烟”的壮阔清奇，更有“夜不闭户，路不拾遗”的安逸踏实……“君言不得意，退守南山陲”、“礼失求诸野”——国人的安全感往往来自故乡的可靠后盾，那里曾经是我们天堂般的精神家园。

如今，“天堂”正失去往昔的宁静和踏实——这是时代的变迁。城市化、城镇化不管在中国还是在世界，都是一个不可逆的趋势，但长期形成的城乡二元体制和户籍制度限制，使这个世界性难题在中国呈现得更为突出和棘手。曾经，我们常常关注的是它带来的经济困境，比如农村土地抛荒、农民高龄化、农业孱弱化倾向……《留守中国》一书则用她有温度的文字告诉我们，“留守现象”所带来的深层人文困境、伦理困境与社会管理困境更加令人忧心。

2010年，美国《时代》杂志把“年度人物”的殊荣授予“中国工人”这个庞大的默默奉献的群体，主要出于他们是中国经济“保八”功臣的考量。因为他们，中国甚至成了世界性经济危机的一根“救命稻草”。流布全球的“中国制造”，是中国的骄傲，更是来自乡野的中国工人胼手胝足尽其所能作出的惊人奉献。他们“候鸟”般穿梭于中国的城乡，让一座座城市日长夜大，让一条条新路伸向远方；他们让中国的GDP一年又一年地不断跃升；他们只手擎天顽强地抗击所向披靡的全球性金融危机，让中国屹立不倒，并成为全球经济复苏的希望……他们更是中国共产党党旗上的“镰刀铁锤”，是一直默默俯身成为共和国执政基础的工人、农民合二为一的“农民工”。

如果不是类似“流浪儿垃圾箱死亡”、“乡村留守儿童集体自杀”、“校车事故惨重伤亡”等极端事件，生活在安宁中的人们对农民工群体背后的“留守现象”鲜有关注。感谢作者细致地描摹了他们的困境：远离家人，拿着微薄的工资，做最苦最累的活儿；没有亲人、没有朋友、没有体育娱乐、没有继续教育；这些同样拥有青春热血有正常交往欲求，生活在信息开放的现代社会的年轻农民工，在那些乏人关爱的“螺丝钉”般的岗位上，会有怎样的恍惚和痛楚？他们还会心事重重地惦记家中孩子的教育、妻子的安宁、老人的健康，在他们的背后，是更荒凉的乡村和更孤独的孩子、妻子，以及步履蹒跚的父母……

卓别林的《摩登时代》，让我们在笑声中认识了工业时代流水线对人的异化。那时，我们以为这种可怕的异化是彼岸的旧创，现在，乡村空心化带来了另一种异化，它可能彻底颠覆中国人的道德伦理观。乡约民俗，更在带来中国经济地理、政治地理，特别是人文地理的重塑。无数留守儿童与城里打工的父母两地悬望，意味着亲情流失与堪忧的农村未来；青壮年的离土离乡意味着土地抛荒；乡村学校大量撤并，意味着人文教化飘离乡村；乡村安全感的消解，让人担心农村基本安全保障的防线面临失守。当孩子们翻山越岭、坐着低劣的校车奔向遥远的学校，他们的父母在城里举步维艰地打拼，祖父母则孤守于空荡荡的村落倚门盼归。

我们能靠谁来振兴中国乡村？又如何将高蹈的“以人为本”执政理念落到实处，如何来稳定以“镰刀铁锤”为国本的最基础性的工作？很多问号，目前乏人解答。中共十八大提出新“四化”目标，要求城镇化和新型工业化良性互动，和现代农业化相互协调，走出一条新型城镇化道路。这给“留守中国”投下了一道亮光，我们真切期待这个目标的尽快实现。

《留守中国》述说了一系列令人悲怆的、留守者的死亡故事。诺贝尔和平奖获得者、作家韦塞尔说过：决不能忘掉那些死者的命运。如果我们真忘掉了，就是使他们再一次地死亡，我们自己就使他们的死亡变得毫无价值而负有责任。

唤醒我们对“留守中国”的责任意识，这是《留守中国》这本新书的最大意义。如果作者继续将这份有意义的写作做下去，或者我们还将从他们的笔下，看到各地在解决留守问题上有价值的努力，看到除了感性梳理以外，更理性的体制性分析。当然，仅作者几个远远不够，我们需要更多的人对“留守中国”现象给予关注和悲悯。

基于此，我由衷地向作者致敬，向艰难留守在故园的孩子、妇女和老人们表达敬意！

周瑞金

2013年4月　上海

周瑞金，著名政治评论家，《人民日报》原副总编辑。1991年以“皇甫平”为笔名，主持撰写《改革开放要有新思路》等系列评论文章，在全国率先提出深化改革、扩大开放，搞社会主义市场经济的改革新思路，被誉为继“实践是检验真理的唯一标准”后第二次思想解放运动开山之作，引起海内外广泛反响。

目　录

开　篇

变迁之痛：留守者的城乡夹缝生活

2012年11月15日上午11时许，北京人民大会堂，新一届中共中央政治局常委中外记者见面会即将举行，500多名中外记者翘首以待。11时53分，习近平、李克强、张德江、俞正声、刘云山、王岐山、张高丽等新任中共中央政治局常委在万众瞩目中步入记者见面会现场。

新常委们的背后是一幅长16米，宽3米的巨型国画《幽燕金秋图》，画中北戴河老龙头到居庸关一带的浓郁秋景气势磅礴，酣畅淋漓，山石奇绝跌宕，青松巍然林立，一派大家新气象。

新任中共中央总书记习近平发表了后来被认为“没有空话套话，平实的话语直抵百姓心坎”的“就职演说”。习近平说：“我们的人民热爱生活，期盼有更好的教育、更稳定的工作、更满意的收入、更可靠的社会保障、更高水平的医疗卫生服务、更舒适的居住条件、更优美的环境，期盼孩子们能成长得更好、工作得更好、生活得更好。人民对美好生活的向往，就是我们的奋斗目标。人世间的一切幸福都需要靠辛勤的劳动来创造。”

对良好教育、工作、收入、环境、卫生医疗、居住条件的渴望不正是全国亿万民众孜孜以求的心愿吗？这其中有多少为了生活的梦想背井离乡艰难行走于他乡的城市里的青壮男女，又有多少因为“流动”而留守在家乡的孩子、老婆和年迈的长辈？国家人口计生委2012年８月发布权威数字：截至2011年，我国流动人口总量接近２.３亿，占全国总人口的17％；留守儿童、妇女和老人的数字接近一个亿！

为生活“流动”在城市的人艰难，因“流动”而“留守”在家乡的妇孺老幼一样不容易。他们有太多的委屈需要化解，有太多的困难有待解决，有太多并不算高的要求希望得到满足，有更多的梦想期冀实现。

2012年11月21日，作为新一届中央政治局常委的国务院副总理李克强在“全国综合配套改革试点工作座谈会”上掷地有声：改革是中国最大的红利，发展方式转变与改革开放密不可分。我们必须也只能往前走，没有退路。又说，要让人民过上更加美好的生活，必须通过改革开放。中国当前的问题首先是发展不平衡，城乡不平衡，收入分配体制也与之密切相关。这里既涉及户籍制度改革，又涉及土地管理制度和公共服务体系改革等一系列问题。

李克强的讲话一度被海外一些人士解读为“中共十八大

后中南海向外界释放的改革信息”，但人们更愿意把两位领航人的话语当做福祉之先声，家国之福音。或许，进入攻坚阶段的改革能为留守中的儿童、妇女和老人带来更多的温暖和阳光。

“切开的血管”

城市从农村夺取营养和血液，反过来却嫌血不干净。

2012年6月，中国农业大学人文与发展学院教授叶敬忠在北京用“切开的血管”，形象地阐述了“失血”农村的现状和留守人群的沉重。

“我们应该思考的最根本问题是，农民真正想要的是怎样的生活？国家的发展又该还他们一个怎样的乡村？”叶敬忠发出这样的疑问。这位曾留学荷兰的学者以及他的团队，持续地对中国留守群体进行着彻底研究和深入的思考。

自20世纪90年代，我国大规模的农村劳动力乡城流动开始，由此带来的农村留守人口现象自21世纪以来逐渐进入公众视野。在城市与乡村的分隔之下，一边是城市务工人员在生存和收入压力下的艰辛劳作、坎坷谋生；另一边是他们留守在农村的家人同样沉重而苦涩的生活现实。亲人的分离和家庭生计的维系，使留守村庄的儿童、妇女和老人的生活承受了深刻的变化与负担。叶敬忠说，中国农村留守人群之痛，实则是中国现代化之殇。

他甚至认为，中国农村和农村的留守人群处于“血管被切开”的窘境中。“发达城市从农村夺取了营养和血液，反而嫌弃血不干净。”“沉重”是他所认识的农村留守群体现实生活的准确描述。对于留守儿童，父母外出务工在一定程度上改善了家庭生计和自身的物质生活条件，但家庭生活的变动给留守儿童的生活照料、学习表现、内心情感等方面带来的负面影响是更深层次的——父母监护的缺失、现有监护的不力，让部分留守儿童在生活中面临安全无保、学业失助、品行失调等成长风险和隐患。

对于留守妇女，她们独自肩负着本应由夫妻双方共同承担的生产劳动和家庭抚养、赡养责任，承受着多重生活压力。“劳动强度高”、“精神负担重”、“缺乏安全感”是留守妇女头上的“三座大山”。沉重的劳动和家庭负担使留守妇女不堪重负，身体健康受到严重影响。同时，由于夫妻二人拥有不同的生活世界，在知识、信息、价值观等方面也渐显差异。流动与留守造成的长期夫妻分离，使得婚姻应有的一些功能很难实现，夫妻生活的不和谐使男女天各一方的婚姻存在诸多潜在问题。

随着承担主要赡养义务的农村青壮年劳动力的大量外流，长期的两地分离使得外出子女无法为留守父母提供经常性的照料和关怀，家庭养老的基础受到动摇，这在很大程度上影响到留守老人的经济供养、生活照料和精神慰藉。与此同时，由于子女的外出，农业生产、照看孙辈、人情往来等重负都压在了留守老人身上，留守老人的生活处境因此堪忧。在当下社会保障体制不健全、养老保障能力十分微弱的状况下，社会转型伴生的人口老龄化、家庭核心化和小型化、价值观念的改变等，又进一步增加了留守老人获取养老资源的难度，使留守老人的养老面临更大挑战。

分离：家庭之痛，现代化之殇

对于农村留守人口的产生，通常的解释是：20世纪90年代以来，中国进入快速的工业化和城市化发展阶段，农村剩余劳动力大规模向城市转移。这不仅推动了城乡经济的发展，也有利于提高农民收入，改善农户生计水平。一些经济学者甚至表述为，乡城迁移使得农村剩余劳动力摆脱了土地的束缚，是农村家庭在进行权衡计算之后理性选择的结果。城乡二元体制壁垒使农村人口难以实现举家迁移，留守人口的出现是家庭为实现收入最大化而作出的权宜性决策。作出上述分析的经济学者倾向于将农村劳动力流动与留守人口现象归结为个体理性和自主选择的结果，归结为家庭的微观经济行为与决策。

农村留守群体沉重的生活现实果真是家庭自主选择的结果吗？叶敬忠并不认可。他说，农村留守群体的产生，其根本在于以城市化、工业化、市场化和商品化为主导的发展模式对农村和农民生存空间产生的巨大挤压，是以农村家庭幸福为代价来汲取乡村资源、实现现代化经济增长的结果。

1949年以来的发展过程，历来都是向农村索取现代化建设所必需的剩余和资源：新中国建国初期，以统购统销和价格剪刀差的方式将农业剩余转移到城市工业；改革开放后，又通过城乡壁垒的松动和对城市偏向的发展政策将农业劳动力引向城市，以便“现代部门”能够以廉价的工资水平获得劳动力的大量供给。农村存在的意义仅仅是作为工业化所必需的粮食、原材料和劳动力的输出地，以及工业部门摆脱危机时的产品倾销市场。在资源被转向城市的同时，传统的农村也愈加受到商品化的侵蚀与挤压，巨大的货币压力迫使农村青壮年劳动力不得不忍受亲人分离之痛，到城市去寻找谋生之路，而留守乡村的妇女、儿童和老人则不得不背负着同样沉重的身心压力。

不断地目睹留守人口在沉重压力下自身及家庭所上演的一幕幕悲剧，任何人都无法站在道德的制高点去指责他们的失责、冷酷、无情甚至轻贱，这样的悲剧恰恰是这个畸形发展的社会所造成的，在那样的生计压力下，任何人都不可能做得比他们好。

倘使有所选择，每个爷爷奶奶都希望看到孙辈绕膝承欢，而不是哭喊；倘使有所选择，每个母亲都希望陪伴子女健康成长，而不会在丈夫外出时在孤独与无助中绝望地扼杀自己的骨肉；倘使有所选择，每个女性都希望活得尊严体面，而不是面对生存的压力无奈地出卖肉体；倘使有所选择，每个孩子都希望在父母面前撒娇嬉闹，而不是因为缺少管教，性格扭曲直至走上犯罪的道路。不幸的是，这样的选择已经被增长导向的现代化发展碾在脚下，农村家庭的幸福成为了社会经济增长的牺牲品。

怎样的乡村？怎样的生活？

农村留守人口现象是中国现代化和城市化以及社会转型过程中产生的众多社会问题之一，它的产生受社会发展、家庭环境以及政策体制等多种因素的影响，同时又与其他农村社会问题相互影响、密切相关。农村留守人口在一定社会发展阶段中必将持续存在。

近年来，很多针对农村留守人口的支持性举措出台，如学校教育中针对留守儿童的关爱活动、社区互助组织的成立、心理咨询活动的开展，等等。这些活动为维系留守家庭与外出人口间的沟通、缓解留守人口的劳动负担与心理压力起到了积极效果，有助于留守人口生活现状的改善。但对留守人口现象的解决不应该抱有任何工具化、简约化的理念，这些支持措施只能是积极“缓解”、“应对”留守人口现象，而无法解决留守群体的核心实质问题。农村留守人口在经济发展和货币化生存的压力下所遭遇的家庭分离、亲情缺位，并不是社会支持活动的“工具包”能够解决得了的，更不存在万能的政策良方能够一劳永逸地解决农村留守人口面临的所有问题。

留守人口现象的出现，其根本原因在于社会整体以经济增长为主导目标、城市偏向的发展模式。因此，留守群体现象的彻底化解，从长远来看有赖于一个城乡协调、权利平等、和谐交融且以“人”的福祉为终极关怀的发展模式。这种发展模式要改变对农村和农民生存资源的挤压与攫取，还原和重建乡村的经济、社会和文化活力。要实现这一目标，关键是要停止以“现代化”和“效率”为名对农村土地、人力、资金、教育等各种资源进行的汲取，杜绝以政策手段加剧农村社会的凋敝；同时将财政投入和扶持政策真正向农村地区倾斜，以地方特色和农民意愿为前提促进农村地区的社会经济发展，使农村居民实现本土生活的安定富足。

目前的农村发展现实似乎是，农村社区越来越失去应有的生机与活力，特别是在城市偏向、物质增长和商品观念的主导下，农村的社会关系越来越物质化与商品化，这对于家庭和社区支持网的建立和社区信任与活力的重建都是巨大的挑战。农村中小学布局调整、农民被迫征地上楼、教育进城、工业和资本下乡……目前的发展政策仍然在以“现代化”的模式加速农村共同体的瓦解。

在这样的村庄，很多村民感到的是死寂、空荡、沉闷、落寞、陌生和凋敝，远不是农村留守人口能够守望相助、获得支持的宜居家园。面对沉重的农村留守人口问题，在我们的发展政策、思维意识和日常生活中，也许应该思考的最根本问题是，农村居民真正想要的是怎样的生活？国家的发展又该还他们一个怎样的乡村？

第一部

留守儿童：撂荒在苗圃的“花朵”

在中国农村，5800万留守儿童面临着西西弗斯般的命运。在他们年幼的时候成为留守儿童，父母为了生计外出打工；父母的远离、亲情的缺失，导致一系列问题的出现——心理、安全、教育、健康等等，甚至酿成不少惨剧。问题的不断产生使孩子们更加缺乏与同龄的城市孩子竞争的能力。

留守儿童的问题，是家庭问题，更是社会问题。5800万留守儿童的背后，是超过两亿背井离乡的“流动大军”。一边是“流动”，一边是“留守”，许多时候，正是流动人群权利的缺失，造成了留守儿童的种种困境。在这个意义上，留守儿童的安全问题，不仅是能否与父母共同生活的问题；留守儿童的教育问题，也不仅是一本课本和一张书桌的问题。对留守儿童的关注，既要着眼于对单独个体的关切，更应扩展至对庞大流动人群的关怀。

无论如何，伴随着中国不可逆转的城市化进程，人口流动是历史必然，也是社会发展的动力。我们需要关注的是，在这样一个充满转型与阵痛的“流动时代”，如何让追逐梦想的流动人群告别候鸟式的“半城市化”状态？如何使留在农村的儿童避免过早被“社会性断乳”？如何避免父母为孩子外出打工挣钱、下一代却在留守中荒芜的发展悖论？

留守儿童问题的破解，坚冰并非不可摧，但解决留守难题仍然是一个漫长而艰辛的过程。在制度未发生根本改变之前，我们可以做些什么？从一些探索的道路中，我们仍然看到一些希望，比如学校、政府、社会的介入，愿意花精力和时间，对孩子们多点负责多点关爱，也能一定程度上弥补父母外出后留下的空当。而留守在农村家园的孩子们，改变命运奋斗过程的本身也许也是一种幸福，尽管充满了无奈。

第一篇　孩儿孤立在墙角

1. 一个山村和一群留守的孩子

一个偏远山区村寨，一群留守的孩子。为了生计，村寨里大人不得不背井离乡进城打工，只留下孩子和年迈的父母。被爸爸妈妈留下来的孩子们很懂事，生活的艰辛过早地让他们成熟，他们早早就明白“帮妈妈做一点家务，是必须的”。他们把土豆当饭吃心满意足，他们对未来充满期待，他们的故事是中国贫困农村留守儿童生活最真实写照。

红板村，位于贵州黔西县中建乡一片巍峨群山顶上，海拔1460米，地势高寒，一年中有近一半的时间处于低温寒冷中。这是一个由9个自然村寨组成的一个大行政村，居住着数千彝族、苗族乡亲。

2012年5月，我们涉足贵州省黔西县中建乡红板村调查留守儿童生存状况。在这个400多户1800多人的偏远山区小村寨里，4个家庭的留守儿童生存真实现状或许就是中国留守儿童现状的缩影。

从中建乡街上出发后，汽车开始爬山。一条仅容一辆小型汽车通过的山路，顺着山势盘旋而上。由于山洪冲刷，无人养护，路面的泥结碎石已被冲走，露出脸盆般大小的石头，有的路段全是淤泥深坑，汽车几次深陷不能自拔，过路的村民看到后，数次帮忙才将车推出泥坑。2个小时后，我们到达了山顶。下得车来，顿感寒气逼人。

山顶是一块小坝子，红板小学就坐落在坝子中间，周围散落着几间土墙房屋，一阵琅琅读书声，传得老远老远。学校是一排石头房子，顶上盖着青瓦片。教室共有5间，每间只有一面开了两扇小小的窗子，屋檐低矮，教室内一片昏暗，一脚踏进去，什么也看不到。屋顶上的瓦片七零八落，甚至可以看得到椽子。教室的窗户上已经没了玻璃，用木板钉的窗子为了采光不得不留出大口子，坦率地露出里面正在上课的孩子。

红板小学的孩子，多半没有正规的书包，书本多是抱在手里，有的则用一个装肥料的编织袋装书，在袋口缝上两个根绳子，往肩头一挂，就算是书包了。我们在查看一个孩子的编织袋书包时，发现里面藏着两个已经煮熟早已冷冰了的土豆，这位12岁的男孩不好意思地说，这是他早上从家里带来的午餐。

六年级的黄其贵家住红板村第九村民小组，是离学校最远的学生。16岁的他长得精瘦，面色黝黑，头发乱蓬蓬的，不时发出憨厚的笑声。每天上下学，他都要翻越6座山。小其贵一般从早晨5：30起床，吃几个土豆就开始爬山，到8：40上课时往往也只是脚刚迈进教室上课铃就响了。

红板小学校长夏维贵说，作为村里唯一的学校，目前总共有161人，包括支教的在内有9位老师，留守儿童30多人，他们的父母大部分长年外出广东、浙江一带打工。红板小学的学生来自散落在群山里的9个自然村寨，学生家离学校都比较远，有的学生从家到学校要走3小时的山路，近的也要走近1小时。每天中午，多数孩子不能回家吃饭，只能带着干粮上学。

红板一带的山上高寒，土地瘠薄，不适宜水稻、玉米等农作物的生长，只能广种薄收，唯一高产的是土豆。刘老师说，大部分家庭玉米是舍不得吃的，一般都背到镇上卖了换钱买盐巴、农药什么的。家里一年到头的主打粮食只有土豆了。

大部分学生能带到学校作为午餐的，只有土豆。热天，他们饿了，从书包里掏出煮过的土豆就吃；冷天，冰冷的土豆实在难以下咽，他们就丢进教室里的火堆中，烤热了吃；经常为了等热透了心，外面部分却早已烧成了黑炭，但饿急了，哪里管得了那么多，拿在手心里吹一吹灰，三口两口就吃掉了——这既饱肚子，还能暖身子。

老师告诉我们，红板这一带的村民都很穷，一年的收成下来加上出外打工的钱，一般一个家庭的收入也只有1000余元；学生的学费现在减免了，每个学生收20元钱的书本费，但仍有一部分学生没钱交。“衣服，对有的学生来说，只要能蔽体遮羞就行，根本没有能力考虑保暖的问题。”这位老师说。

我们见到小玉兰时，她正在地里蹲在爷爷奶奶身边帮忙摘辣椒。一双黑乎乎的小手上沾满了泥，见有生人来，不太敢靠近说话，一只小手用力地扯着衣角，使劲地咬着嘴唇。

这天是周六，学校不上课，小玉兰一大早就到田里帮爷爷奶奶干农活。7岁的小玉兰看上去有些发育不良，长到7岁看上去也才三、四岁的样子，细弱的身体干不动重的体力活，只能帮忙洗洗菜、扫扫地。

看见有生人来家里，小玉兰似乎有些害怕，一直不说话，我们试图和她说说话，小玉兰才用轻得几乎听不见的小声回答了几句。

“周末不上学干什么啊？”

“摘辣椒。”

“想爸爸妈妈吗？”

“想的。”

“是爸爸妈妈好，还是爷爷奶奶好？”

“爷爷奶奶好。”

小玉兰不再说话，回到了里屋，爬在凳子上开始写作业。

小玉兰的爷爷说，自己有一个孙子两个孙女，他们的爸妈都在浙江打工。其中一个孙子被其父母带到浙江去了，剩下两个孙女在家里带着。

“打工也没寄什么钱回来，就靠我做点临工带着两个小孙女维持着生活”，小玉兰的爷爷说，两个儿子在外打工多年一直未能挣到钱，只能靠他天天出去帮别人做点零工过生活，由于要带孙女耽搁干活的时间，平常就由奶奶带着。

小玉兰目前读一年级，由于是义务教育阶段，每个学期只需要交8元的资料费就可以了，读书目前暂时还不是问题。“但以后可能就支持不了了”，小玉兰的爷爷说，如果她的爸妈不想办法，就读不下去了。

小玉兰似乎还不太懂得爷爷的话，她的将来在哪里要取决于爸爸妈妈在外打工能否挣到钱回家，她现在只能专心地写着作业。在她的房间里，我们看到凳子旁边有一只灰熊公仔。小玉兰看着公仔露出笑容：“那是爸爸打工时买回家的。”“喜欢吗？”小玉兰点了点头，“喜欢，爸爸买了4个，这个是弟弟的，那个小的才是我的”，说完又继续低头做作业。

沿着红板村弯弯曲曲的山路走了好一阵子，才来到山边的一间小屋，三个可爱的小女孩正在门口玩耍，家里唯一的大人——她们的奶奶正在煮饭。

奶奶今年63岁，丈夫很早就过世了，留下了两个儿子和两个女儿，一个人把四个孩子都带大。如今，两个女儿出嫁了，外孙也20多岁了，日子过得还不错。两个儿子的家庭却并不如意。

奶奶说，大儿子王国林，今年36岁，去年因为没钱养家，媳妇在大吵一架后，跑到浙江去打工了，随后王国林也去了福建打工，期间只给家里打过一次电话，电话是打到隔壁邻居家的，问小孩有没有吃的，生活好不好，连过年也没有回家。媳妇一直没有音讯，不知道是真打工去了，还是跑了（即改嫁了）。现在大儿子家留下两个小女孩，大的叫王莎，9岁，读二年级；小的叫王莎美，7岁，读学前班。

小儿子王玉刚，28岁。自从2009年去浙江台州打工后，3年来一直没有回过家。奶奶说，因为家里条件差，小儿媳妇6年前出去打工之后就再没有回来，一直没有音讯，连个电话都没有打回过，估计是“跟人跑了”。小儿子有一个女儿叫王欢，8岁，读一年级，小王欢甚至连妈妈长什么样都不知道。

就这样，现在这个家就由奶奶一个人带着三个小孙女生活着，靠奶奶上山挖点草药出去换点钱供他们读书，平时还在附近帮人干点农活维持生活，出去做帮工前一般都会提前把饭做好。

“身体好时出去打打零工，平时在附近做点农活养三个女娃，一年也换不到几个钱，现在年纪大了，可三个女娃都还指望着我呢。”奶奶说，由于年纪大了，身体不大好，如果哪一天她动不了了，这三个女娃就没有人管了。

奶奶煮饭时，8岁的小欢欢在一旁帮着捡柴，她手腕上带着一对银环，左边上面刻着“长命百岁”，右边刻着“好宝宝”几个字，“奶奶说，那是小的时候妈妈给我买的，要我好好带着，这是妈妈留给我的唯一纪念”，小欢欢说。

“想不想爸爸？”

“想他。”

“爸爸回来过吗？”

“回来过一次，还给我买过一个苹果和一包糖。”

“想妈妈吗？”

“没有见过妈妈，不知道在哪儿，也没有打过电话回来。她不想我，我也不想她。”

“想要个妈妈吗？”

（迟疑了很久）“想有个妈妈。”

“想爸爸回来吗？”

“我都想爸爸不出去，但他要出去挣钱。”

“是奶奶好，还是爸爸好？”

“奶奶最好，因为爸爸一点都找不到钱给奶奶。”

小欢欢身上穿的满是破洞的衣服，她说这是奶奶捡的别人不要的衣服，当看到同学的爸爸妈妈都在家时，小欢欢很是羡慕。

10岁的王华，性格有些怪异，很不喜欢跟人说话，不管别人问什么，他都以沉默来对抗。也许是受哥哥的影响，7岁的妹妹王昌新也很少开口，甚至连老师提问，也不怎么回答。

在王华6岁那年，父亲在外打工时因为饮酒过量而去世，之后母亲离家出走。此后，王华变得性格孤僻，很少说话。在跟着奶奶生活了两年后，奶奶因病也于今年去世了，两兄妹彻底变成了孤儿，只能跟着叔叔家一起生活。

“想你的爸爸妈妈吗？”

“不想。”

“知道妈妈去哪里了吗？”

“不知道。”

在跟我们简短的两句对话之后，王华再也没有开口，几次话到嘴边又咽了下去，似乎不愿意提及爸爸妈妈。平时在家里，王华基本不说话，有空帮叔叔家干点农活，只有在学校的时候，跟同学一起打乒乓球才显得稍微有点活跃。妹妹王昌新则更奇怪，对于爸爸妈妈，她完全没有什么印象，问她话也不回答，甚至连学都不想上。学校夏老师来家访，她一直躲着，夏校长说，来了几回了，都被她给溜了，终于等到一回，在问了半天后，王昌新回答了三个字：只想玩。

对于读书，哥哥王华倒是还有些兴趣，夏老师告诉我们，王华曾经偷偷透露过想当警察，想一直把书读下去。可现实的情况是，叔叔家也有4个孩子，要供他们兄妹俩读书比较困难，能把小学读完就很不错了。

12岁的刘顺刚可能是红板村里最知名的留守儿童，因为只有他去过省城贵阳，甚至去过北京。对于红板村的大部分留守孩子来说，他们甚至还从未去过县城。

刘顺刚的父母都在浙江打工，出去五年了，一般过年的时候才回来。刘顺刚平时与父母联系的主要方式是打电话，为了联系方便，爸爸特意在家里装了一部移动式的座机，刘顺刚几乎每天都会给爸爸妈妈打电话，在电话里，爸爸会问作业做了没有吃饭了没有，然后叮嘱几句生活上的事情。相对于村里大部分的孩子，顺刚跟爸爸妈妈保持着经常性的交流，这使他看上去性格明显开朗许多。

"想爸爸妈妈吗？""想"，刘顺刚回答得很干脆。爸爸妈妈出去打工后，他跟姐姐刘顺艳照看着家里，与大多数留守儿童不一样，这姐弟俩没有选择跟爷爷奶奶一起生活，而是自己单独生活——单独做饭，单独洗衣。

顺刚的生活很规律，每天早上7点上学，做早饭，下午放学后跟姐姐一起回家，一起做饭，做作业，看一会电视，然后给爸爸妈妈打电话，衣服三天洗一次，有空时还帮爷爷奶奶干点农活，放牛、割猪草等。像家里的灯坏了这种事情，顺刚现在也会自己修了，只是买米的时候，由于太重搬不动，需要邻居的帮忙。

"晚上一个人睡觉害怕么？""不怕"，12岁的刘顺刚看上去比一般的孩子要成熟些，也许是年龄稍大些的缘故，加上家境稍微好点，生活上对于顺刚来说似乎问题不是太大，能够经常性的在电话里跟父母沟通，一些烦恼等心理问题也能够及时得到化解。于是，小顺刚的故事成为红板村留守儿童的典范，甚至还被邀请去北京，到CCTV做节目。

姐姐刘顺艳比弟弟大一岁，看上去有些害羞，刘顺艳说，作为姐姐，自己照顾弟弟多一点，还帮弟弟洗衣服。刘顺刚的愿望是想一直读书，然后找一份工作，不想像爸爸妈妈那样出去长年在外打工。

在一篇以“在______中成长”的半命题作文中，13岁的刘顺艳选择了“磨练（炼）”为题作为答卷。

不管做什么事情都不是风平浪静，都要经过一些磨练（炼）的，有一句俗语说得好，是金子总要发光，人只要经磨练（炼），只是在开始的这些日子里，是十分困难，十分的幸（辛）苦，只要自己有恒心，一步一步地慢慢走过来，这样的人生就非常的快乐，才有意义。

我出生在一个艰难的家庭中，从小生活就是十分的困难，慢慢地长大了。必要帮妈妈做一点家务了，转眼几年过去了。又到了我读书的时候，这样以（一）来。爸爸妈妈又要挣钱供我读书，爸爸妈妈又不认识字。不能出门打工了，只能出劳力来供我读书。生活过的（得）十分的艰难。

这么以（一）来，我就被送进学堂里了，爸爸妈妈又多了一些重担，到下学放学的时候，只能帮助他们做一些家务了，做不了什么大事情，这样的日子不是一两年就完的，然而却是长久的事，我相信永远不是这样的，命运是要考你到底有没有恒心，只要你有恒心，所有的事情都会把它做得十分（完）美。

快乐的日子在一天慢慢的（地）将领（降临）了，国家有发展，家庭的生活也好了许多许多。

人总须（需）要经过风风雨雨，才能见得了阳光，我们在成长的过程中，既有阳光雨露的呵护，也有风霜雷雨的相伴，它们都是人生的一大财富，幸福和谐的生活，懂得了珍惜，苦难艰辛的处境，使我们志怀高远，现实超越的梦境，打破了世界的知识。

人的一生有挫折，有苦难，有磨练（炼），这些如果你都挺过去，那么以后你的日子是多么的甜美，多么的丰富，这样你的一生才过得有意义。

2. 曲曲弯弯上学路

广州从化市良口镇良平村，环抱于广州北部的几十座大小不一的山峰之中，森林茂密，小河潺潺，良田果林遍布。村子不大，近4000村民主要以耕种为生。从2000年开始，受“生育节奏”连年放慢等因素影响，广州郊区农村学龄儿童逐年锐减，不少山村小学“合并”到远离村庄的新学校。“一村一校”的农村教育格局被调整后，留守孩子的上学之路成了一个难题。

良平村小学位于村公路的一侧，傍水而居。推开锈迹斑斑的大铁门，杂草已经长得有半米来高，满地枯黄的落叶，这里已经很久没有人来过了。教学楼背后平整的地面给人翻出一块地，种植着少量生姜。教学大楼一楼到四楼的楼梯口被一道铁门锁死。一楼教室的黑板上依稀还有老师的板书。

这所位于从化市良口镇的村小，原来有14间教室和绿树成荫的操场，总面积约3500平方米。村民们说，2010年上半年学校放暑假时，上级有关部门决定将该校几十名师生合并到了镇上的一所小学，说是为整合教育资源——此后，校园闲置至今。

离良平村小学几公里的地方，总面积约2000平方米的城郊街城康村小学也从2010年的暑期开始闲置。村里正计划重新启用校园，计划把它变成一个蔬菜配送中心。

从化市教育局有关负责人说，20世纪六七十年代是生育高峰，导致20世纪80年代末90年代初农村学龄儿童骤然增多。为应对不断攀升的学龄儿童的读书需求，村小学在从化这个山区（县级）市四处开花，几成“一村一校”态势。此后的形势急转直下，学龄儿童从20世纪90年代末开始锐减，学校生源越来越少，有的学校甚至一个班只有七八位学生。

从2000年起，从化市开始大范围合并村小学。截至2011年9月，当地将全市100多所村小学合并为62所，不少村小学人去楼空。据保守估计，截至2012年秋季开学，除少数校园被租作他用外，有约30所学校的建筑及场地闲置。

“闲置的村小学建筑质量好，水电设施齐全。如果有人承租办厂或办幼儿园，应该是很不错的地方。”当地教育部门一位负责人称，收到租金后，会补贴给学生，用作公交车费。“从已有的租金使用情况来看，绝大部分都花在了学生身上”，这位官员说。

杯水车薪的补贴给孩子们和家庭并未带来开心　。“孩子到师资齐全的新学校上学无疑是件好事，但生活成本却一下子增加了，交通问题也让人头痛。良口镇良平村村民陈志华有四个孩子，时下在离家约6公里的镇上上学，老大、老二上初中，老三、老四上小学。如果不是村小学在两年前被合并，老三、老四步行几百米就能走进教室上课，一日三餐可以回家“搞掂”。

“每个孩子每天的生活费至少是5元，加上零花钱一周起码要30元。”陈志华说，原来在家里做饭吃，有自家种的大米和蔬菜，一家人合锅，只需花点油盐钱就可以了。家长们发现，孩子到镇里上学后，现金对他们来说已越来越重要，每周要提前为孩子准备好。每个孩子几十元的生活费，家长必须不间断地外出打工挣钱，并结合全家人的开支精打细算。

为了照顾孩子，陈志华在离新学校几公里外的酒楼当杂工，每月工资约1200元，老婆在酒楼当洗碗工，月工资约800元。两口子的工资加起来勉强够维持一家人的生计。生活成本无形中加重，两口子不敢稍有懈怠。

很多村民和陈志华一样出去打工，目的就是给孩子挣学费和生活费，近一点的在附近镇上，远一点的去了广州市区，甚至东莞、深圳，每月一两千元的收入成为家庭最主要的经济来源。父母远走他乡，家中剩下老人陪着孩子，留守着。

村小学合并后，孩子们大多需寄宿学校。良口镇良平村的村民说，由于多数家长外出打工，鲜有家长每天骑着摩托车接送孩子。唯一一辆往来镇上和村子的中巴车，在每个月的“1”日、“6”日（1日、11日、21日、6日、16日、26日）开行，孩子们根本无法“享用”。面对孩子“转校”带来的“商机”，村里有人买来几辆面包车接送学生，车主每月向每位学生收取80~100元不等的车费。面对这一状况，村民纠结了—— 一边是面包车带来的便利；另一边则是对其安全的担忧。

在从化市鳌头镇车头小学，孩子们依旧每日要步行数公里上学。车头小学李校长说，来自方圆9公里6个村的孩子大部分都要到小学本部上课。只有龙田村还保留了一个分教点，因为那里同时有20多个低年级的孩子上学，“如果都到这边来，家长们实在是担心孩子太小，无法独自上学”，李校长进一步解释说，对于低年级的孩子，家长一天要骑摩托或单车来回接送4次，如果所有孩子都如此这般，家长基本上就“干不成活了”。

从化当地官方的说法是，村小学合并后，整个师资力量得到加强，教师教学水平和学生综合素质得到提高，教学效益逐年看好。村民们则说，孩子们远离家门上学，家庭开支加大、孩子上学交通不便等麻烦。

可靠的数字显示，单良口、吕田两个镇寄宿在校的学生有约2000余人，以每天每位学生补助1.2元生活费，这笔开支对于尚处贫困的山区（县级）市从化来说已是巨大负担。相关部门曾测算，要解决整个从化因并校带来的校巴问题，起码需要1.3亿元。

“现在我们村道修得都还不错，而且都通了村巴，只是每天坐村巴上学要好几元的花费，对一些家庭来说是不大能承受得起，五六年级的孩子通常只能骑单车上学。为节省上学路上的时间，不少没车的孩子上学，要么借亲戚的单车，要么搭同学的车，他们都很渴望能够有一辆单车代步”，村民说。

今年12岁的肖少玲，一家7口住在鳌头镇车头沙岭村，爷爷奶奶年迈，三姐弟读书和一家人的生计全靠父母在家种地的收成，每月1000多元的收入。由于老人多病，孩子多、读书费用大，至今一家人仍住在自建的瓦房中。黄泥砖墙，漆黑厨房，虽然屋内经过简单的批荡，但发黄的墙体依然没有遮盖住这个家庭的窘境。

乖巧的少玲一回到家就立刻帮妈妈搬水盆做家务，家庭的贫困让年幼的孩子更早懂事。虽然从家里走到学校需要步行40多分钟，但少玲从没有向父母埋怨过。让少玲颇感开心的是，之前二伯把家里剩下的一辆单车借给了她，让自己的上学之路轻松了许多。不过，少玲还是梦想着能有一辆自己的单车。

肖洁山，家住从化市鳌头镇车头村长二社，爸爸去世得早，妈妈患有精神病，姐弟俩读书和生活靠低保接济，洁山照顾着年幼的弟弟，家里并没有其他生活经济来源。住在车头村，但学校距离洁山家依然很遥远，小洁山家在京珠高速旁，黄泥砖的外墙，没有经过任何粉饰，屋里唯一值钱的是一台电视机和一些木制家具。洁山说，除了早晚，她每天中午也会步行往返学校和家里，她梦想能尽早有一辆单车，这样中午可以早些回来给弟弟做饭。

3. 留守儿童杀人事件

2012年2月，广州从化市检察院审理了一宗特殊的故意杀人案，凶手是一名14岁的少女，而被害死者是其6岁的堂弟。凶手是一个典型的留守儿童，辍学在家，杀人的动机仅仅是生活当中的一些小积怨未能得到及时排解。

2012年1月6日，凶手邓某的二婶阿婵像往常一样，将6岁的儿子留在爷爷家里，到工厂上班去。10时过，阿婵接到公公电话，说儿子不见了。11时多，阿婵又收到一个陌生手机号码的信息，内容是叫她明天早上8时带10万元给对方。形势不妙，阿婵马上请假赶回家里，发动全家人四处寻找。没多久，阿婵又收到同样的勒索信息，她随即向警方报案。

警方即以绑架案介入侦查，通过追踪侦查，发现发送信息的是14岁的小文，随后更得知，小文只是帮同学转发信息到指定的号码——这名同学是阿婵的亲侄女儿邓某。

阿婵说，邓某是老公亲哥哥的长女，14岁，去年10月读书至初二即辍学，平时在家里做做饭，照顾几个堂弟妹，在家里跟几个堂弟妹挺“玩得来”。

审讯中，邓某承认发信息给婶婶的事，并爆出令人震惊的噩耗——自己已将堂弟杀害了。邓某说，她并不想要钱，只是想吓唬一下叔叔婶婶，因为她恨叔叔婶婶一家人。

“自己的恨从两年前就开始了”，邓某的讲述令人吃惊，甚至罗列了一系列“恨”的理由：自己去到二叔家想玩他们的玩具，二叔就说玩具没电；想去二叔家看看电视，二叔就把门关上不让进去；二叔的儿子经常抢其他堂弟妹好吃的东西，常拿走她喜欢的衣服……

事发当天，6岁的堂弟拿着一瓶有颜色的药水，不停甩向其他堂弟妹。回到家里，堂弟又撕了其他堂弟的课本折飞机玩，彼此因而发生了争吵。邓某生气地对堂弟说：“你跟我出来！”天真的堂弟于是跟着邓某来到一间在建楼房的二楼，这时，邓某突然转身掐住堂弟的脖子，将其活活掐死。

邓某在供述中说：“我觉得自己的仇恨一下子爆发出来了。”作案后，邓某叫小文给婶婶发信息，并叫她发完信息后关机。接着，邓某装着若无其事的样子回到家里，和其他堂弟妹玩耍、做饭、吃饭、上网看电影……邓某说：“其实我并不是很想杀害堂弟，我只是想捉弄一下二叔一家人。”

办案检察官分析说，邓某是家里的长女，有一个妹妹，父母常年在外打工，是典型的留守儿童。亲人关怀的缺失，让她情感冷酷。邓某一家与二叔一家关系不是十分融洽，没有及时化解的琐碎小事，在她心里积下怨恨。邓某只读至初二便辍学，除了做些小家务就是上网，思想易受干扰，法律意识淡薄，做事不顾后果。

2012年大年初六晚上，广州花都的小雪在家里因琐事被责骂后，将一手把她拉扯大的奶奶推倒在地，拿衣服包住奶奶头部致其窒息死亡。之后，她自杀未遂又放火烧了奶奶的衣柜，将百元现钞洒在客厅，反锁大门逃离现场。

经办此案的法官后来写给小雪的信说："如果我有10个理由来责备你之前的行为，那么我就更应该找出20个理由去指责你的父母、家庭甚至社会。"在法官看来，小雪是凶手，同样也是受害人。

小雪在口供中说，自己的不幸源自4岁那年。那些年父亲王某和母亲黄某经常为琐事吵架。小雪刚上小学，父母便出门打工糊口，将她交给乡下的爷爷奶奶照料。2004年小雪8岁，爸爸妈妈离婚了，小雪判给爸爸，跟着爷爷奶奶过日子了。

王某很快重新组建家庭，生育了一儿一女，王某坦承自己比较喜欢小雪，但有点重男轻女，平时对女儿比较疏忽，零花钱也给得少，主要的精力花在两个小的孩子身上。每年大年初五是小雪母女见面的日子，妈妈黄某常会留下住上两天陪女儿。小雪告诉法官，妈妈的出现总会遭到奶奶的冷眼和数落。

2009年，小雪爷爷瘫痪了，爸爸每月给的600元的生活费不够3人的平时生活开支。小雪说，奶奶靠种地维持生计，她也学着做起了家务活照顾爷爷。后来奶奶的脾气变得暴躁，小雪稍有不听话，她就破口大骂。小雪成绩不错，在班里能排前10名，立志要考重点高中。

小雪说，近几年心情不好时，哭一哭摔摔东西打打枕头，发泄后就好了。当成绩考得好时，心情会很好，但最长持续一个上午。她曾有过轻生的念头，想过服药自杀。前几年有想过去跳河，被人劝了几下，就回心转意了。小雪说，想轻生的时候有想打人的冲动，想打自己、父母或骂过自己的同学。

小雪还承认，为了发泄情绪，她在家偷喝过啤酒，天热时每周喝两三次，一般每次喝两三罐啤酒，最多的一次喝了5罐。

小雪的烦恼似乎一直与钱有关。爸爸很少给她零花钱，妈妈也只在见面时才会给。爸爸王某后来回忆说，2012年除夕夜，因为开年后初三毕业班要补课，小雪向他要补习费，并说如果不相信她的话，她可以把学校的通知单拿给我看。可女儿最终没有把通知单拿出来，于是爸爸把她责骂了一顿，意在要女儿今后什么事“说到就要做到”。

小雪当时气愤地顶撞了爸爸，气冲冲地喊话：“你不要老是骂我，我激动了会做错事的。”6天后，这个“错事”终究还是发生了。在杀死奶奶侯阿婆后，小雪打开了奶奶的衣柜，找出了5万多元现钞。想起奶奶“生前好贪钱”，小雪愤怒地将钱洒了客厅一地。

如果前一天，我们按照约定见面，是不是就不会有今天？小雪的母亲黄某常这样想。往年春节都是在年初五去看女儿，母女俩在一起住两晚，今年却没有。去年放暑假黄某见过女儿一次，给了钱之后就只有电话联系。小雪说，奶奶不让她给妈妈打电话，所以在春节前跟妈妈见面的时候就告诉妈妈年初五就不见了，开学时再见。

在看守所，小雪写下两页半纸的亲笔供词，她说自己一直就对家庭环境很不满，对父亲很失望，别人以父亲为荣，我以父亲为耻。她直呼奶奶的名字，称“我杀了侯记娴”。经办法官去看守所看望小雪，问她“过得怎么样”，小雪说自己“很好”，理由是看守所里面有很多姐姐、阿姨愿意跟她说话，更喜欢在看守所的生活。

4. 五孩童溺亡的背后

父母关爱的长期缺失，留守儿童在心理、教育、安全、情感、健康等各方面出现一系列问题，甚至导致惨剧屡屡发生——溺亡、自杀、性侵害、犯罪……每一个令人心痛的故事背后总有着让人无法释怀的无奈与叹息。留守儿童已日益成为一个严峻的社会问题，引起越来越多人的关注。留守的孩子们要的不多，只要一双温暖的手，一颗贴近的心。

2012年5月8日，江西宜春天台镇塘溪村一家5名留守儿童在外玩耍时溺亡于水塘。令人心痛的一个细节是，在组织营救时“村里很难找得到年轻人”，致使救援时间一拖再拖，直至人亡心碎。五个孩子中最小的6岁，最大的不过11岁。

出事的小山村距江西宜春市区80多公里。那天下午2时左右，72岁的老人王久寿最小的孙子小辉（化名）回家告诉老伴，说自己和五个哥哥姐姐要到后村山上摘蛇泡（当地一种野果）。戏闹之后孩子们感到热，便相伴来到水塘边要去“洗澡”。五个哥哥姐姐脱了衣服先下了水，年龄最小的小辉走到塘边止步了，不敢下去。没多久，岸上的小辉发现水塘里的五个哥哥姐姐都不见了，大声呼喊，没回应。此时，水塘的那边来了个撑船的，小辉告诉他在塘里洗澡的哥哥姐姐突然不见了，撑船人在塘面上搜寻后没发现，大感事情不妙，赶紧叫船上的女儿和小辉一同回家，叫大人来！

当王久寿的老伴李细秀得知事故发生后，心急如焚地在村里四处找人，却怎么也找不到到年轻人，最后只得租了一辆“摩的”在村子周边四处兜圈子，在漫长的时间过后找到两位年轻人——但已无济于事。悲剧的发生，主要是救援时间耽搁了。

塘溪村党支部书记钟监长介绍说，水塘的水主要用于灌溉，距离村里大约有3里地，事发时正好是丰水季，水比较深。塘溪村民小组约有300户，1000多人，村里耕地并不多，没有什么工厂企业，大多数青壮年都外出打工了，留下的是老人和孩子。事故发生后，村民们纷纷涌向水塘试图救援，尽管此时溺水的孩子生还可能性已经很小。可参与救援的只能是清一色的老人。

43岁的王庆福、56岁的王成生、58岁的王有福、64岁的王玉华和65岁的王根福，都赶去了，只有年龄最大的王根福能亲自下水打捞。出力最大的要数43岁的王庆福，一个人捞上来三个孩子。

王庆福在家也是“偶然”。他说，自己之前也在外面打工，攒下了一些钱，那段时间刚好回家筹划盖房子的事。王庆福不无痛心地说：“我年龄相对小一些，虽然不太会游泳，也能帮上一些忙。水大约有2米半深，我捞上来三个孩子，可惜都不行了。”

这是一个不幸的家庭。王久寿有两个儿子，大儿子王光忠患有严重的白癜风症，心脏不太好。他和妻子钟洪秀在江西宜春一个建筑工地打工，干的打基桩活，又脏又累。小儿子王光军，家里拮据得很，盖房子欠了债，靠种田和做花炮外壳养家糊口。为了还债，出事前一个月经人介绍王光军和媳妇王次秀一起到深圳一家厂子打工去了。

为什么不留在家中照顾老人和小孩？王家兄弟俩算了一笔账，结果告诉纠结中的他们，还是打工好。王光忠说，自己和老婆在宜春工地打工，苦点累点，一天能挣100元；王光军说，在深圳机会更多一些，俩人一年省吃俭用能攒下3万元。与王家兄弟俩情况类似，塘溪村璜溪组不少留守者，他们的丈夫、儿子都出去打工挣钱养家糊口。

王光忠说，“你在家也防不了，这也不需要很长时间，像我这个孩子老是说要游泳，我说你千万不能去游泳，我说要游泳的话以后爸爸带你去游泳”。“我在（深圳）宝安每个礼拜天都打电话回来，我说你不要跑出去，不要跑到池塘边上去，野东西也不要去摘，不要去摘野草莓，要是没东西吃叫爷爷奶奶买。”王光军也说。悲剧还是无情地发生了。

钟监长说，他们已经在村里开过会，一方面让学生注意安全，另一方面提醒家长权衡外出打工的利弊。只是，这个权衡对于村民来说颇是为难——“不出去打工，能干什么？”

之后的不到一个月时间里，全国各地又接连出现了多起留守儿童溺亡事件：

5月9日、10日，广东汕头：两天三男童溺水身亡；

5月20日，山东滨州：三孩童徒河捕鱼溺亡；

5月20日，湖南长沙：三留守儿童溺水一人溺亡；

5月27日，湖北孝感：五名女孩溺水身亡；

……

接连出现的留守儿童溺亡事件，引发了社会舆论的强烈反响和公众的深层思考：到底什么原因导致儿童溺水身亡事故一再发生？谁来监护孩子的安全？

“当然是他们的父母！但是孩子的父母这个时候在外面打工是由爷爷奶奶这一辈在监护他们，最重要的父母的监护，这一环是缺失的。”中国农业大学人文与发展学院副院长、留守问题研究专家叶敬忠详细分析了留守儿童的监护问题。

叶敬忠说，留守儿童的监护应该分为四种类型，第一类叫隔代监护，父母外出务工由爷爷奶奶来监护；第二类叫单亲监护，父亲或者母亲一个人留在家里来监护儿童；第三种是亲戚监护，父母都外出了，爷爷奶奶也没有精力没有时间，或者没有条件监护这个儿童，由亲戚代为监护；第四种叫自我监护，什么人都没有，只有儿童自己留在家里。“在目前留守儿童当中隔代监护比例是最大，应该说隔代监护问题表现最为普遍。”

祖辈爷爷奶奶照顾不如母亲照顾孩子，在及时的吃饭、穿衣服，准时上学校提醒方面爷爷奶奶做得不如单亲监护做得好；爷爷奶奶由于年龄大，或者知识水平的限制不可能给孩子学习上的指导，学习上的辅助或者鼓励；爷爷奶奶跟孙辈代沟年龄相差比较大，他们之间的相互交流互动非常少，相互询问苦恼或者心理方面的事比例很少，由于交流少他们之间的距离感生疏感就会越来越大，隔代监护不管在生活学习和情感方面表现出来的问题是最大的。

5. 留守儿童日记

2010年，一首网友自发创作的留守儿童之歌，暴红网络。在这些歌词的背后是留守儿童写给自己的“悄悄话”。

好久没人牵我的手，
好久没人摸我的头。
冰凉的小手发烫的额头，
生病是最想你们的时候。
爸爸妈妈，我会很听话。
爸爸妈妈，不要累着啦。
墙壁上涂满你们的画，
枕头下留着我换的牙。
委屈的时候总对着猫咪说话，
屋后面的桃树又开了几多花。
啊，妈妈我梦见你回了家。
啊，爸爸我梦见你胡子扎。
爸爸妈妈，我说话算话。

爸爸妈妈，我的成绩不会落下。

……

“我在拿板子的时候，手被钉子扎了一个洞，流血了，很痛。那时我真的很想哭，但我看大家都在忙，就忍住了没哭。”“我去离家较远的一口水井挑水。刚走了一半的路，看见那些黑色的树影子在动，我很害怕，怕得我站了好久。后来我还是继续向前走了。”

贵州省黔西南布依族苗族自治州下箐村毛草坪组地处典型的喀斯特山区，为了生活，这里的青壮年大多选择外出打工，留下来的孩子们小小年纪便在爷爷奶奶的扶持下照顾家中的田地与家畜。

黔西南州安龙县万峰湖镇下箐村毛草坪小学有六个年级，每个年级一个班，有8位老师。杨元松主要教语文，为了锻炼学生的写作能力，他要求孩子们每天写日记。这本是再平常不过的教学活动，但在一篇篇日记中，杨元松被孩子们面对困苦坦然接受偶尔抱怨，依然热爱生活的坚强乐观精神感动了。随着收集的日记越来越多，杨老师萌生了一个想法，把这些日记结集出版！

2011年年底，由毛草坪小学26个平均年龄只有9岁的留守儿童，用他们的220篇日记、21幅画、12封写给爸爸妈妈的信，汇聚成12万字的《中国留守儿童日记》出版，一时间感动了无数网友，网友们称“日记展示了一个真实的不一样的世界”。

“我们想吃点东西都很困难。就拿包子来说吧……只在一些情况下，母亲偶尔会带我们到场坝上去，才有机会吃到……在学校读书的时候，卖包子的人也偶尔会到学校前门来卖包子，要身上有钱才能买到，但有时母亲一分钱也不给，一个也吃不到。看见卖包子的人来了，就只有看的份。想啊！想啊！想啊！想得口水直流三千尺，想吃个包子竟难于上九天！”这是留守儿童岳朝龙的日记。岳朝龙是26个留守孩子中的一个，他们平均年龄9岁。

为了给孩子们整理文稿出书，杨元松把所有孩子的日记看了一遍又一遍。杨老师说，每一次都会被孩子们所感动。

让杨元松感动的不仅仅是孩子们字里行间的真情，更让他感动的还有孩子们在生活中的自立自强和乐观向上的精神状态!

“那些孩子微笑的面孔稚嫩而纯真，看不到苦难的痕迹。正是这些笑脸，用顽强的生命力，阻止苦痛从内心蔓延到脸庞。”

杨元松希望这一篇篇的日记，不仅告诉社会，在山里有这么一群孩子坚强地生活着，也告诉这群孩子们，在山外还有另外一个世界，他们的生活还可以有另外一种可能。

“不要用可怜的眼光看他们，要用赞赏的眼神为他们加油”，杨元松甚至希望能为写这些日记的孩子们“提供另一种可能”。比如一次参观博物馆、参观展览的机会，让他们能够发现自己的兴趣，找到自己的位置和理想。

日记节选：

爸爸每次打电话回来都问我的学习好不好，我就说：“不好，还是老样子。”爸爸说：“你要专心一点、注意一点，你已经长大了，不要只想着玩，要好好学习，以后考到好的学校去。”爸爸讲到这里的时候，我的眼泪已经源源不断地流出来了。因为爸爸很关心我的学习，爸爸每次都这么对我说，每次我接到爸爸的电话都会哭。

——张明会，2011年6月23日

下午放学回到家，我背上四十多斤包谷去姨妈家打包谷面。因为家里已经没有包谷面，也没有米可以做饭，我们都很久没有吃过米饭了。

我不敢回家，因为我要走的那条路上冷清清的，没有人家。还有人说那段路上经常有鬼打架，我很害怕，于是只好到杨敏家睡，到天亮再回家。也不知道弟弟他们在家怎么样了，可是我也没有办法。

——杨海叫，2010年3月31日

我的任务是打猪草和煮饭，而哥哥的任务则是背水和喂猪。我就去打猪草了。因为对于我来说，打猪草根本不是难题。外婆家离我家不远，所以想顺便去外婆家玩一趟。可是不巧，外婆没有在家，我就只得老实地打猪草了。(哥哥头疼。) 我说：“你头痛就不去背水了嘛，反正那些水还够今天用的。”说完我就去煮饭、洗菜、打猪草、喂猪、喂鸡。哥哥坐在板凳上一句话都不说，就痛苦地呻吟着。

——杨鹏，2010年4月7日

第二篇　城市里的留守梦想

6. “小候鸟”的城市夏天

一条街道突然要接纳放暑假与父母团聚的上千名外来孩子，这些从四面八方而来聚到一起的孩子会遇到什么，他们的“城之夏”会有什么故事发生?

每年的7、8月份，上海、广州等城市的街头总可瞥见大量“小候鸟”的身影。在拥有全市最多外来人员的广州市白云区，仅抗英古村三元里内的松柏岗社区，2012年7、8两个月里已接纳了上千名来广州与父母团聚的“小候鸟”。

尽管难得相聚一次，36岁的彭泽良并未因此放松对儿子的要求。所谓“一日之计在于晨”，彭泽良希望孩子们从小学会珍惜时间。没有了家乡的热干面和三鲜豆皮，两个孩子更青睐街边热气腾腾的小笼包和汤粉。于是，暑假里，彭泽良睁开眼睛的第一件事就是问孩子们想吃什么，孩子想吃什么他总要去买回来，没买着就自己下厨做。“孩子第一次来广州，有什么要求都尽量满足”，事实上，彭泽良一直对长年远在家乡读书难以照料的孩子心存愧疚。

三元里由旧村、松柏岗村和平英新村组成。旧村的外来人来自五湖四海，松柏岗村不一样，来自湖北省洪湖市的就有12000人，且多为螺山镇人。“据估算，大约有1200个5岁到20岁的同乡子女在暑假来广州，活跃在松柏东街。”松柏岗社区内的“洪湖荆楚印刷工党支部”书记陈志说。

给“小候鸟”组织各种暑期活动，据称是松柏岗社区的一个传统。“但是较大规模的活动，今年还是第一次。”居委会主任黄红说，类似的“亲子项目”每年都有，如由义工带着小孩和家长玩游戏，开设暑期的培训班，给孩子们补习文化课，甚至教孩子们说粤语，让他们尽快融入新环境。

黄红坦言正面临不少困难，“主要是场地少，设施不齐全”，黄红说，希望明年的活动可以继续扩大规模，和周边的社区联系合作，多发动一些志愿者参与到活动中。

“广州有很多老家没有的高楼。”不少“小候鸟”在被问及大都市广州的第一印象时，总是这样说。2012年8月18日，在三元里街家庭综合服务中心的组织下，一群从湖北洪湖来的小朋友和父母一起游览了具有浓郁广州风情的荔枝湾。

平时总是仰望高耸入云的CBD高楼，这一次社工要搞点新意思，带着外来工家庭亲近广州的西关水乡文化。很多人都是第一次去荔枝湾，他们在鱼池边捉鱼，踢毽子，“这下我知道广州不光有高楼了，还有这些好看的船。”一小女孩兴奋地说。最吸引孩子的不是美景，而是河边卖的西关小吃，“以前没有吃过这个耶。爸爸，我想买一点！”孩子们围在小吃摊旁边吵闹。

“小候鸟”盛佳怡说，比起老家，她更喜欢广州，“老家只有广场可以玩耍，广州好玩的可多了。”暑假后入读五年级的李悦有些“另类”，她更想回老家念书，“在那里英语可以考全年级第一，在广州却只得差评。”为此，爸妈决定将她带回老家读书，由奶奶看护。

晚上是一家人交流的时间。旭旭从动物园回来，在家里写日记，拿给爸爸彭泽良分享。“我今天在动物园摸到了蛇，冰凉冰凉的，好吓人。”爸爸读到这一段时问：“你不怕蛇咬你啊？”儿子逞男子汉气概，“不怕！有人还扛着蛇呢！但是为什么蛇是冷的呢？”孩子们总有问不完的为什么。才消停了没一会儿，儿子又要爸爸给他“称重”。这是家里常玩的游戏，旭旭吊在爸爸手臂上，不停问：“重了吗？有40斤了吗？”……快到10点了，余兴未了的爸爸妈妈催孩子们早点睡，“否则回到老家又该不适应了”。

又是新的一周，爸爸妈妈要去上班了。彭泽良对自己的工作感到庆幸，“上班时间比较自由，偶尔可以在家陪孩子，客户有需要时才去公司。”为了多些相处的时间，彭泽良牺牲了不少工作时间。他说，住在松柏东街附近的外来人，大多是从洪湖来的，大家不是朋友就是亲戚，大家“亲帮亲，邻帮邻”，隔壁大姐要去上班了，就把孩子送到彭家来，让孩子们一起写作业看电视，孩子们互相陪伴，大人放心。

比起周末爸爸妈妈伺候在旁的幸福，工作日“小候鸟”的安全则让不少家庭感到颇为烦恼。“小候鸟和本地孩子之间的沟通，总的来说并不多，玩的层次也不一样。本地的孩子一般由家里爷爷奶奶带到兴趣班，外来的孩子则通常是在父母工作的地方帮忙做些事，穿街过巷的。”陈玉卿是东约社区的居委会主任，工作18年了。每到暑假，陈玉卿就会担心“小候鸟”的安全。“像抗英大街，有的时候大人在买菜，小朋友则站在市场外，汽车就在旁边呼啸而过，很危险。” 陈玉卿显得忧心忡忡。

“植物园去过了，越秀公园去过了……”彭泽良对着广州地图画钩钩——暑假快要结束了，父母的心愿就是给孩子一个精彩的收尾。“去不去动物园？”11岁的雨婧虽然平时文静内向，但一听说要去动物园就特别兴奋，顽皮的旭旭就更不用说了，拉着爸爸妈妈问长问短。玩的时候，两个孩子拿着爸爸的手机好一通“咔嚓”。

暑假就要结束，一股忧伤的情绪开始在家里弥漫开来。明天孩子们就要坐高铁回湖北老家，爸爸早就买好了车票。晚饭时，千叮咛万嘱咐哽在心头难开口，还是旭旭打破了沉默：“我想去超市买零食，明天可以带在火车上吃。”吃过晚饭，两个孩子在超市里跑来跑去，开心地挑选着零食，他们买了满满一袋。彭泽良抓紧每一个机会“唠叨”：“回去了要听爷爷奶奶的话，要写作业，要好好读书，放假了再来爸爸妈妈这里玩。”儿子听得似懂非懂，女儿轻轻点头，不说话。

站台，车窗，在儿子脸上亲了又亲，把孩子抱了又抱；汽笛声响起，火车远去，剩下父母们落寞的身影。每年的8月底，这一幕总是在广州火车站不断上演，重复着不一样的故事。

下午3时45分，张乾一家四口拖着大包行李快步赶到四号站台，准备坐上停在站台旁的广州—郑州的列车。张乾和妻子手里分别牵着儿子和女儿的手。儿子小新，五岁，站旁边的妹妹小可，三岁。小家伙并没有太多的离别情绪，不哭不闹，甚至有点兴奋，时而指着火车大叫时而互相打闹。

“这是我们第一次要分开那么久。”张乾说。

3时47分，乘务员放行，乘客上车。张乾把背在身后的大背包取了下来，递给妻子，并协助她背起来。两个孩子“打头阵”，一蹦一跳上了车，在征得乘务员同意后，张乾也跟着妻子上了车。找好座位，放好东西后，张乾跟妻子和孩子挥挥手，走出车厢。“老婆带他们回去，我就不回去了，明天要上班。”张乾笑笑。张乾在广州天河做快递员，一个星期放一天假，他和同事换了班专门来送妻儿回老家河南驻马店。

出了车厢，张乾来到妻儿靠近的窗户旁轻轻敲了敲玻璃，小新和小可马上兴奋起来，挥手回应，拍打窗户，嘴巴在不停地说着话，可爸爸什么也听不见。张乾拿出手机拨通老婆的电话，让她把手机给女儿小可，小可接过手机后高兴得手舞足蹈。在几句严肃的“要乖”的叮嘱后，张乾把手机“卡”了。然后，父女俩开始隔着玻璃冲对方笑，持续了好一阵子。此时，张乾又掏出了手机，给车厢里的孩子说上几句。15分钟，张乾掏了5次手机。

车没启动，张乾也一直没离开。“大的那个要回去读书了，这里的学费太贵，读不起。” 张乾点燃一支烟，在站台上踱起了步。他说，这次把大儿子送回去读小学，交给奶奶照顾。“以后就不会那么容易看到了”，张乾猛吸了一口烟继续说，“没办法，一个月才两三千块，在这里读书怎么可能？”

还有三分钟车就要开了，妻子示意张乾回去，张乾从口袋里再次掏出手机要给两个小家伙拍照，小新小可很配合地摆起了姿势。

火车启动，张乾快步跟上，边走边向窗内招手，孩子在车厢里大喊“爸爸！爸爸！”“如果今年暑假不回的话，只能下一年才能见到他们了”，注视着走远的列车，张乾低声说。

7. “二次留守”：哭了想来，来了想哭

东莞的夏天，骄阳炙烤着大地。东城火炼树菜场门前的人行道，9岁的小斌独自蹲在路边玩着石头，爸爸老唐在路口摆摊卖水果。这时，一群孩子追打着从小斌的面前跑过，小斌突然很兴奋，站了起来，看着陌生的面孔，小斌又蹲下继续自己玩自己的石头。“去年认识的好朋友，今年他们都没有来”，小斌有些失望地说。小斌从老家来到东莞才两天，与去年暑假时到处乱跑、在家烧纸玩的调皮相比，今年的小斌显然乖了很多。来之前爸爸跟小斌说好了的，要不然爸爸就不带他来东莞了。

2012年，一个新名词开始出现：“二次留守”。

“二次留守”的意思是，“小候鸟”满怀希望来到陌生的城市与久别的父母相聚，人生地不熟和爸爸妈妈没有时间陪伴，“千里来相会”的他们面临再次空巢与亲情疏离的窘境——这本不该是他们的宿命。

2012年7月30日，一则“家长们小心！ 大朗22天内发生

49 宗儿童走失案”的微博在网上疯转，引发社会强烈关注，“小候鸟”被拐卖的传闻在东莞乃至广东、全国不胫而走。8月1日，分别从大朗镇政府了解到这样一组数据：7月1日至22日，大朗公安分局接到儿童走失报案49宗，比上月明显增加（6月份接报34宗）。走失的这49 名儿童，都是“新莞人”（东莞给外来务工人员的雅称）子女，趁暑假前来东莞与爸爸妈妈相聚的。庆幸的是，其中的48 人在报警后一个小时内被寻回，一名女童因家庭矛盾而离家出走，后来与家庭取得联系。

在大朗镇出租屋附近的巷道和商场，我们目睹了外来“度”暑假的异地务工人员的孩子独自四处游走的尴尬。

蔡边步行街商场林立，人流如鲫。在一家购物广场前，五六个小孩光着臂膀正在追逐玩耍， 随后一阵风似地冲进了广场内，嬉笑打闹。孩子们都是住在附近的新莞人子女，爸爸妈妈上班无暇照顾，他们常凑在一起玩耍，年龄较大成了“孩子王”。

“如果不这么把孩子带在身边，他可以去哪儿？我怎么能放心？”在佛新综合菜市场里，卖菜的江西人李秀秀手忙脚乱， 一旁两个儿子乖巧地守在身旁。孩子来城市了，可也只能终日在菜市场与菜为伴，到隔壁光鲜的大商场逛逛也成了奢望，不曾踏进一步。李秀秀说：“很愧疚，但有什么办法呢？”

“二次留守”的伤痛并不鲜见。2012年7月22 日，刚从老家湖南衡阳来佛山三天的桦桦便遭遇了不测，他在从五楼跌落下来后，被钢管刺穿胯部，生命垂危。

桦桦的爸爸老宋 2010 年来到佛山南海做建筑工，2012 年暑假，两个儿子从老家到佛山和家人团聚。7月22 日晚，忙完一天工作的老宋宋刚躺下不久，便听到门外大儿子大叫。跑出屋外一看，小儿子桦桦倒在地上，不省人事，周身流满了鲜血。“我当时吓傻了，不知道发生了什么事”，老宋事后说。桦桦随后被送往广州军区广州总医院抢救。

事发时桦桦和哥哥在一栋五层的楼房上玩耍，新建的楼房，楼顶还未安装护栏，楼的旁边是一间小五金厂，两栋楼之间的距离是30 厘米，属典型的“握手楼”。

桦桦是从新楼跳到五金厂房顶时发生意外的——五金厂房顶被砸出了一个大窟窿，随后桦桦跌落下去，被一条钢管插穿胯部，医院诊断为“膀胱破裂、肠管破裂”。

在广东，类似的“小候鸟”受伤送去救治的屡见不鲜，暑期更是常见，其中以骨折和皮肤挫伤为主。在一些大的医院，甚至出现了儿科诊所外地孩子比本地孩子多的现象。“城市的生活环境比较复杂”，医生无奈地说。

东莞市社工办有关负责人说，在留守儿童二次留守问题上政府的公共财政支持不能缺席，甚至觉得政府可以向NGO购买服务。一旦有了政府财政的持续投入，机构就能持续地为留守儿童开展活动。与此同时，政府购买也可以帮助其他NGO快速建立公信力，使得更多的家长了解并愿意让孩子参与NGO组织的活动。“政府可以通过购买服务的方式，让社会组织深度参与解决二次留守问题”，这位官员显得颇有见地。

香港大学社会工作及社会行政学系博士研究生赵环觉得“这是一个难题”。在他看来，“二次留守”可能带来安全隐患和家庭和谐等社会问题，政府应该给予足够的关注，起正面的导向作用；“小政府、大社会”，政府不必事必躬亲，具体的事情可以交给社会组织去承担，暑期社会组织可以多组织一些青少年活动，在活动的设计上除了兴趣班、课业辅导之外，也可以设计一些“认识第二故乡”等的户外活动，比如参观当地的历史古迹、博物馆等等。

留守儿童“二次留守”的另一个重大隐患，是被拐卖。在广东，不少缺乏警惕的农民工仍保留家乡的质朴习惯——让孩子在家门口外玩耍，他们相信“吃饭的时候就会回来的”。在一些发达城市如东莞已成为儿童拐卖的重灾区。人贩子作案娴熟，提供“盗、抢、售”一条龙服务，几秒钟就能将儿童拐走，半小时内就将抢来的儿童送离城区。一个被有关部门证实了的事实是，受巨大利益驱使，拐卖儿童在中国内地甚至已成为一个规模庞大的“行业”，“人贩子”活动猖獗。

在东莞，未经权威部门证实的民间说法是，当地近年来儿童失踪的人数超过1000人。与此同时，警方在全国解救出的被拐儿童达2000多名。让失踪儿童的家长痛心疾首的是，无论是放学路上、超市还是自己的家门口，犯罪分子几乎无孔不入。失踪儿童的邓姓母亲说，犯罪分子只花了几秒钟，就抢走了她九个月大的孩子。

东莞聚集了大批来自全国各地的农民工，他们中绝大部分因为收入低下，没能力将孩子送到幼儿园，上班时只能让孩子在住地四周玩耍，无人看管。农民工杂居的地方人员复杂，给人贩子以下手作案的便利，并使“制造之城”东莞成为儿童拐卖的重灾区。

第三篇　亟待弥补的亲情

8. 过年的挣扎：到底回不回家？

2013年2月3日，离农历新年只剩下不到一个星期的时间了，重庆市开县8岁的姐姐王小敏拉着弟弟王杰，通过电脑视频，见到了他们3年未曾见面的爸爸、妈妈。当视频接通的那一刻，电脑这头，孩子嚎啕大哭，不停追问着："爸爸、妈妈，你们还有好久才回来？"电脑那边，远在上海打工的父母也已泣不成声，"妈妈以后挣到钱了，就回来看你们。"

王小敏生活在一个典型的留守家庭中，家里一共有4个孩子（3个女儿，1个儿子）。在外出务工之前，王元平、田学美两口子一直在老家以务农为生。

2008年，为养家糊口，一直在家务农的王元平跟着同村的老乡们去上海打工。当年春节，小儿子王杰出生，田学美因难产差点没能挺过来。两口子外出务工，养活家中4个儿女，相对一般的留守儿童家庭，他们选择在外打工显得更加无奈。“当时我就想，一家人要完完整整在一起，外面再能挣钱，那也不是家。”王元平的想法很快被改变，家里4个孩子需要供养，每月的开销，不是在老家务工所能承担的。

2009年8月，王元平带着体弱的田学美和小儿子一起到上海打工，但外面的生活远比想象的艰难。35岁的王元平在宝山一个专门负责拆迁的建筑公司上班，平时每月工资2000元，田学美在一家老乡开的饭馆洗碗，每月1200元。微薄的收入无法支撑一个三口之家在上海的生活。半年后，王元平托人把儿子从上海带回老家，此后，4个孩子两人一组，分别跟着爷爷奶奶和外婆居住。那以后，王元平和田学美就跟着同乡辗转各大工地挣钱，再没回过家。为了节省路费，三年来，过年回家成为夫妻俩最奢侈的心愿。

“2009年离家时，我大女儿才10岁，我怎么会不想回家。”田学美记得，离家时，从上海到开县的路程坐大巴车得走48小时，车费是250元。这些年虽然没回家，但从同乡口中知道，现在回家坐大巴车只需不到24小时，但路费涨成了650元。

回家还是节省路费？两口子3年来一直选择了后者。每半个月打一次电话，是她和4个儿女的约定，每次通话时间，田学美都会小心翼翼地控制在5分钟内，“不敢说太久，一说久了孩子们就会问我啥时候回来，一问我们就都会哭。”

每逢腊月，同乡们纷纷回家，田学美和王元平眼巴巴地看着大伙儿离开，总是羡慕，但从没认真动过回家的念头，今年也一样，在通过视频见到小敏和小儿子王杰前，夫妻俩的打算跟过去3年一样——省下路费，今年过年不回家。

过年不回家，是田学美觉得最亏欠孩子的一笔亲情账。这个春节，夫妻俩本计划着趁节日工资高，好好再存点钱。“但见着孩子后，我俩就忍不住了，吃晚饭的时候，吃着吃着我们又哭了。”母亲田学美说，与孩子视频后从网吧回家，她哭得稀里哗啦，两口子说起孩子哭成一团，但商量下来意见却产生了分歧，尽管都很想儿女，但丈夫王元平坚持把路费省下，全给孩子们寄回去，让几个娃娃穿身新衣服过年。

田学美想回去了，“我一闭上眼睛，就想起小女儿哭着说‘别人的爸爸妈妈都回来了’，3年了，从来没像现在这样想回家过。”当晚，两口子商量到凌晨两点，最终田学美妥协了，两人达成共识：“明年，明年挣了钱一定回家！”

尽管跟丈夫说好了不回家，但此后的半个月里，出租屋里的气氛显得凝重起来，每逢有老乡回家前来告别，田学美都会哭，每次跟孩子们通完电话，田学美还是哭，再后来，邻居们走的越来越多，田学美开始失眠了。

想回家！这个念头，田学美3年来从没有像现在这么强烈过。

“我睡不着，一闭上眼睛就开始想娃娃。再后来，我给他（丈夫）说，算了，我们还是回去，就算是借账，今年我也要回去。”田学美的提议，王元平不再反对。1月27日，两人去银行取出了全年省吃俭用余下的3300元钱。这笔钱，刚好凑足两人往返的路费。

当晚，田学美给婆婆家里打了电话：“我说今年要回来的话，过年就没钱寄回家了。”电话那头，老人没多说啥：“我不要钱，我就要你们回家，团年了才叫年！”

“我们每月扣除1100元的房租和生活费，再准时邮寄1000元回家后，还能剩余几百块。”田学美说，丈夫偶尔会窜个工地加加班，算是找点外快。今年，两口子一共攒了3300元，本打算全部寄回家给孩子和老人，但这次回家路费就得全部花光。田学美说不后悔，因为除了过年回家，她没有别的办法能去补偿内心对儿女们的亏欠。

“对于那些父母在外打工的留守儿童来说，他们一年到头最大的心愿就是希望在春节的时候爸爸妈妈能够回来全家团聚。而作为父母，那些打工者最大的心愿却是能够给孩子挣下、省下足够多的钱，给他们一个美好的未来，为了达到这个目标，他们宁愿暂时春节不回家，这是一个亲情的悖论，情感的悖论，有解吗？”四天后的央视《新闻1+1》中，主持人董倩发出了这样的感慨。

9. 妈妈回家的温暖

四川是劳务输出大省，有368万余名留守学生（儿童），是全国留守学生（儿童）最多的省份之一。

每年的春节，对留守儿童来说都是一次心理冲击——许许多多孩子的爸爸妈妈并没有回家，孩子在失望中熬过春节。2013年，中央电视台新春系列报道“吾老吾幼”中，记者用镜头追踪记录下了四川江安县一对留守儿童姐弟的故事。

宜宾市江安县是四川十大劳务输出县之一，有2万多名留守孩子。江安县语丁花小学是一所针对农村留守学生开办的民办寄宿制学校，全校378名住宿生，其中爸爸妈妈在外打工的留守孩子有216名，这些孩子在学校吃，在学校住，周末不回家，只有中秋、国庆等法定假日家人才把他们接走几天。

7岁的陈巧燕和5岁的陈锦熙是一对姐弟，他们都在这所学校上学。在其他同学眼里，陈锦熙是幸福的，因为有姐姐陪在他身边，很多事情姐姐会帮他做。陈巧燕一边帮弟弟洗脸，一边给弟弟的脸上抹霜。“是香香，手，把你手拿来都不知道。”陈巧燕召唤着弟弟，“擦嘛”，弟弟陈锦熙显得有些调皮。

姐弟俩的宝宝霜是曾外祖母给买的，平时当宝贝一样放到箱子里，偶尔才拿出来搽一下。陈巧燕仔仔细细的给弟弟的手上、脸上都擦了宝宝霜，俨然一个小大人。可就是这样一个活泼开朗、乖巧懂事的孩子，在她的作业本上，却写满了“想哭”，“想妈妈”的字。

“只有我妈妈一个人照顾我们。我爸爸死了都没照顾我们，爸爸还是对我很好的，就是死了。”陈巧燕2岁多的时候，爸爸生病去世了。从那以后，妈妈就离开家去打工，每半年，甚至一年回来看他们一次。

快要过年了，一些爱心人士来到学校征集留守儿童的新年愿望。在愿望征集表上，陈巧燕写到“我很想去实现的，就是我想我妈妈找到大钱。”你为什么想你的妈妈找到大钱？老师问。“因为她没得钱了嘛，没得人家(拿钱)给她。没得钱，(妈妈)咋个照顾我们呢。” 在这个7岁小女孩的心里，妈妈就是因为没有钱，才不得不离开她和弟弟，只有挣到大钱，他们一家才会团聚。

“我妈妈头发这么长，她一般有时候会扎头发，有时候会戴发卡，像这样戴。”陈巧燕示范着好像亲手为妈妈戴上发卡一样，此时，身旁的弟弟陈锦熙说：“我想看妈妈”，“我妈妈很忙，忙得都没来接我们，她没得时间来看我们。”

临近过年了，最先放假的是学前班，孩子们一个个被家长接走，宿舍里只剩下了陈锦熙和另一个孩子。此时有人进来了，陈锦熙跑出去，看到的却依然是别人的妈妈。一直站在旁边看，一句话也不说。这时，老师接了一个电话，是妈妈打来找陈锦熙的。“你考到好多分啊，知道不？”妈妈在电话里问，一旁的老师替答：“两个一百分”，“妈妈我厉害不？”陈锦熙显得有些得意。

妈妈你要来接我不？陈锦熙充满了期待。“我还要过几天，可能要明天后天等姐姐考完试我就来接你。”妈妈的回答让小锦熙显得有些失落。“要得嘛”，小锦熙很懂事。

“你就在学校头耍，听姐姐的话。等姐姐放假的时候就来接你们两个，一起接。”妈妈在电话里叮嘱到。“要得。” 陈锦熙放下电话，然后就在旁边，眼巴巴地看着同学宋子豪和前来接他的妈妈，一直到他们离开，近半个小时的时间里，陈锦熙就这样一直站在旁边看，一句话也不说。

陈锦熙的老师小兰说，自己也是一个母亲，孩子和陈锦熙差不多大，所以看着他，就觉得更加的心疼。

“在我们班我从来不会让他们唱《世上只有妈妈好》这首歌，以前我会教他们唱这首歌，但是后来我觉得有的孩子在唱这首歌时表现出来的那种情绪我看了非常心疼。”老师小兰说。

学前班别的小朋友都让家长接走了，陈锦熙还在走廊里玩，一个人。

在距离宜宾160公里外的四川乐山，姐弟俩的妈妈雷德琴正在卖菜。

雷德琴今年31岁，4年前，丈夫因肝癌去世，不少人劝她改嫁，孩子可以留给婆婆。看看2岁的女儿，又看看才6个月大的儿子，觉得哪一个都舍不得。为了抚养两个孩子，安葬完丈夫之后，雷德琴离开了家，到外面打工。

“两块？”“不卖，最低就是两块五了，我本钱都(不够)”。一名买菜者跟雷德琴讨价还价了一番，最终未能成交。“生意不好做的”，雷德琴叹道，“我也想挣一点钱过年，等他们开了学以后，读书的话还需要好多钱啊。”

两个孩子在学校包吃包住，所有的费用加起来一个学期要4000元。这个费用不算高，但雷德琴卖菜一个月的收入也就1000多块。平时，雷德琴把自己的生活开销降到了最低，经常一天只吃一顿饭，不是白水煮面，就是炒点卖不出去的菜。

雷德琴要一天两次，到15公里以外的批发市场去进菜，为了让进价便宜一点，她会在批发市场一直等到收摊的时候，经常是夜里一两点才回来，早上5点又要出摊。雷德琴还做过泥工，卖过烧烤，打工最远去过广西，去年回到乐山，总算离孩子近了一点，以前一年才能见一次面，现在可以半年见一次。

“真的很想他们，说实话再苦我都会把他们一直养大，只是我现在正在想办法，尽最大的努力让他们跟我一起嘛，我一直都在想，能让他们跟我一起的方法是什么方法，不想让他们这样子分开了。”

年前是菜最好卖的时候，雷德琴还要再等几天，才能去接姐弟俩。

“我给了他们每人一百元钱当压岁钱，让他们给自己买些需要的东西，没想到5岁的小锦熙一心想的是给妈妈买一件礼物”，他给妈妈选了一条围巾，想给妈妈一个惊喜。

要去接孩子了，雷德琴特意换上了她最好的一件衣服，又去了趟玩具店，花25元买下了女儿一直想要的芭比娃娃，给儿子买了一个10元钱的玩具。还花了75元钱买了一些当地的特产。这几乎花掉了她大半个月的饭钱。

终于见到妈妈了，姐弟俩的脸上充满了笑容。他俩兴奋地把妈妈带来的好吃的拿给老师，拿给同学，告诉大家这是妈妈带来的。“妈妈你围到嘛，好舒服哦。”陈锦熙拿出围巾给妈妈戴上。

“妈妈，我看你的手，妈妈你的手指烂了。”细心的巧燕发现妈妈的手指伤了，赶忙去床底下翻宝宝霜，雷德琴的眼角有些湿润，她紧紧地搂住了巧燕。

陈巧燕说，她希望妈妈能回来跟他们一起生活。

10. 家里的娃儿更重要

2013年2月17日，大年初八，年味还没散去，“急招工”的各种小广告已经遍布广州街头。像往年一样，李鑫初八开始就在位于广州市海珠区瑞宝工业区的招工一条街上摆了个小摊，要招制衣工人。“从早上8点到现在，只有十几个人前来问津，有意向的一个都没有。”在瑞宝工业区经营着一家小制衣厂的李鑫无奈地感叹。“别看走来走去的人多着，他们都还没有心思开工，大都是过来摸行情的。要等他们玩腻了，才考虑进厂。”

李鑫说，节前他的制衣厂有30多人，现在只剩下5个人，即使有订单都无人开工。由于物价上涨，生产成本及劳动力成本大幅度增加，他给工人的工资也由原来的2500元增加到3000–3500元。即便如此，仍然招不到人。

来自广东省人力资源和社会保障厅对定点企业的监测显示，受春节前后异地务工人员提前返乡和延迟到岗的影响，企业用工缺口短期内可能会放大，预计缺口峰值达100万至120万人。

在小老板李鑫提着招工纸板在街上卖力吆喝着优厚条件时，离广州千里之外的湖北人张勇终于作出了一个决定：今年不去广东，留在家乡打工！

张勇的老家位于湖北中部随州市下面的一个乡村，从2006年起，他在广东深圳的一家模具厂里做电焊工，7年时间了。“其实每个月的工资也不低，能达到四五千块，省吃俭用每年也能攒个三四万块回去，但有些东西是不能用钱去计算的。”

张勇最放心不下的是三岁大的女儿，即使每年过年买了一堆玩具和礼物回去，他仍然觉得愧对女儿——“每次一回家抱起女儿时，女儿像陌生人一样害怕地往后缩，根本不认爸爸，我的心就像猫抓了一样难受”。张勇每年回家的时间前后加在一起也不过二十来天，刚刚跟女儿混熟了点，又要离开家，“那种感觉真不好受”，张勇说。

今年过年回家，张勇四处打听了一下家乡周边工厂的情况，发现其实留在家乡打工“钱也不少”。他算了一笔账，留在老家随州打工，一个月可挣个三千来块，虽然不比在深圳的四五千多，起码不用跟女儿分离了，“再多钱也换不来亲情”，而且把各种生活成本除掉外，其实“留在家乡待遇跟去广东一样”。

河南省鹿邑县是农民工大县，全县116万人口中，每年至少有20万人外出务工。只要不是清明、中秋、春节这样的假期，方圆1000多平方公里的大小乡村里，就只剩下老人和儿童。

小梦(化名)是鹿邑县的留守儿童，今年已经14岁，从她4岁起，父亲到了东莞当保安，母亲则在东莞卖报纸。小梦只能跟奶奶在家里相依为命。从2010年起，小梦就开始厌世，屡次想自杀。今年春节，小梦父亲由于要值班，父母亲都未能回家过年，小梦在年三十晚上哭了整整一晚，大年初一就离家出走了，一直到初五才回来。小梦在离家出走时留给了奶奶一张纸条，上面大概的意思是，“打我懂事起，我就觉得不公，别人都有爸妈可我没有。看到别人的爸妈送钱送饭，我就怀疑我是不是你们领养的。我知道奶奶你很疼我，可我要去找我的亲生父母去”。

鹿邑县贾滩一中校长韩黎明说，在这里上学的孩子中超过8成是“留守儿童”。“我与其说是校长，不如说是家长，”韩黎明自嘲压力很大，“知道这些孩子平时没有父母疼爱，我每天就坐在办公室里，忙完工作就一个一个地跟学生聊天，就像他们的哥哥、爸爸一样。”

缺乏父母关爱的留守儿童，已经变成了严重的社会问题。“现在初中、高中的学生都是‘打手’”，县城一名教师说，“随便给他们两三百元，几十个学生就出来了，让打谁就打谁。”

“我这辈子就这样了，不能让娃再跟我一样，宁愿少挣点，也要培养好他！”26岁的魏东伟在浙江义乌某电子厂已经工作了6年，今年回到了老家河南鹿邑。春节刚过，义乌方面承诺把他的工资加到2600元，可魏东伟根本就不为所动，他铁了心要跟4岁的儿子在一起。

“2009年春节回来了，已经快2岁的儿子不认我们”，魏东伟说，“晚上想把儿子抱到我们床上睡，他大哭大闹都不肯”。

那一年春节回来后，魏东伟发现儿子的性格变得很古怪，“好像心里充满了仇恨一样，对任何事情，只要一不顺心就会大发脾气”，魏东伟说，“后来发现，幼儿园的小孩子一直在嘲笑他，说爸妈不要他了。而爷爷奶奶对他又太过于宠爱，什么事都顺着他”。

“‘三岁看大、七岁看老’”，魏东伟说，“如果我再不回到他身边，我这个娃儿将来就废了”。魏东伟到离家5公里的县城工业园区转了一圈，发现像他这样的熟手，每个月的工资也有2300元左右。这更加坚定了他留在老家的决心。

“近年来广东省用工荒愈演愈烈，而留守儿童则是用工荒背后的关键原因。”在2013年广东省的“两会”上，省人大代表施少斌建议“关注留守儿童，破解用工荒难题”。他认为，留守儿童教育问题已成为外来务工人员最关心的问题，直接并长远地影响着农民工的外出务工行为。

没带孩子过来最主要的原因还是因为读书。夫妻俩试过，估摸着给孩子找学校。可一问吓一跳。由于没有本地户口，孩子读公办学校要交赞助费，听老乡说，找人一年还要一两万，不找人都进不去。不吃不喝不住，把夫妻俩打工收入全用上，勉强够。

2010年11月，国务院发展研究中心举办了为期两天的农民工圆桌讨论会，会上，大部分农民工表达了“孩子能不能在打工地上学”是他们最关心的问题。

“长远来讲，广东务工人员所衍生的留守儿童很可能成为新一代广东人，是广东产业长期可持续发展的这一代劳动者的希望和下一代的主要创造者。”施少斌建议，实施流动儿童的教育“以流入地政府管理为主、以全日制公办学校为主”的政策。制定相关政策保证外来工子女享受与当地户口居民同等的接受义务教育的权利。“只要是已经在同一个城市居住、工作达到一定年限就给予农民工子女和城市子女同样的入学受教育机会。”

11.“想妈妈”——科技弥补的亲情

罗万琼在广州番禺大龙街广弘鞋业打工，老公在毗邻的中山市工作。两个孩子，一个11岁，一个9岁，在老家跟着爷爷奶奶一起生活。

“一年就见十来天。”罗万琼说，孩子前年来过一次广州，可也没能住多久。“有时候真想孩子啊，真想！”她说，厂里1300多人，九成九是流动人口，籍贯以湖南、河南、四川最多。有的老乡5年才回一次老家，想孩子想得受不了。

厂里安装了“想妈妈”，罗万琼就录了视频，传到系统上。小孩学校老师带着孩子到学校里的电脑，点击了这段视频。孩子看了很高兴，也让老师用手机回录一段过来。罗万琼在“想妈妈”平台上看到，1米5高的大女儿朝她招手：“妈妈，你累吗？”这句话说得罗万琼眼泪直掉。不过她还是很开心。“我来广州时，女儿还不到1米，现在都比我高了”，罗万琼说。

广州市番禺区在2012年开始探索“想妈妈”留守儿童关爱工程，免费的“爱心视频机”备受工人们欢迎。

这一年的8月，番禺流管办装在大型工厂企业里装上了“爱心视频机”。视频机上的两个按钮会发出召唤：“想孩子了，赶紧录段视频吧！”“这里可以看到孩子视频，赶快来看吧！”

据2012年年底最新统计的数据，番禺区登记在册流动人员134万人，约66%以上的流动人员子女留守在老家。番禺区流管办相关负责人说，长期的分离，容易使流动人员和留守儿童存在“亲情饥渴”危机心理。为了让流动人员在繁忙工作和思想情怀中找到平衡点，拓宽留守儿童与父母沟通桥梁，番禺区探索推进“想妈妈”留守儿童关爱工程，引入“想妈妈”关爱留守儿童服务平台，该网站可以录制和观看视频，父母可以录制视频放在网站上让孩子看，孩子也可以录制视频给父母看。双方视频都使用一个手机号码作为提取关键字。

针对大量的流动人员没有电脑的问题，番禺区打算在2013年在各社区（村）流动人员和出租屋服务站及大型的企业配备“想妈妈”视频录制服务设备，流动人员可以利用下班时间，通过“想妈妈”视频录制服务设备录制视频。

罗万琼的同事廖义归是湖南郴州人，儿子12岁了，从4岁就过来广州住。廖义归也用“想妈妈”，不过他用来关心“留守老人”。父亲母亲都70好几了，老人在老家把孙子带到了4岁，一年只能见一次面，廖义归就让儿子经常过来录视频，给爷爷奶奶汇报学习成绩。老人在老家则是走去附近的学校电脑看。

当地流管办在安装系统后，都会和留守儿童当地学校、政府沟通，请他们在提供电脑方面予以方便，大家都很支持，廖义归说，还有的同事，给孩子买了衣服，现场就展示，两边都呵呵直笑。工人有电脑的不多，有智能手机的也不多，这个系统成了工人们的福利。

在番禺区的关爱工程中发现，社会管理创新不仅仅要解决已经发现的社会问题，更需要去提前预测和化解未来可能发生的社会问题。过半留守儿童存在较严重的心理问题，如果能通过科技创新手段，利用互联网、视频、云计算等技术，让留守儿童和父母通过网络增加沟通机会，就可以惠及1.5亿以上人口。

在番禺区对流动人口、留守人员的长时间跟踪调查中，留守儿童，长期和父母分离，有的几年见不到父母一次，造成严重的“亲情饥渴”、学习成绩下降、产生自卑或封闭心理、养成不良习惯等后果，心理健康问题不容忽视。截至2012年年底，已有1300多名流动人员和留守儿童接受了“想妈妈”关爱服务。

12. 学校就是家，家就是学校

湖南郴州市有湖南南大门之称，距离国家中心城市广州不到400公里，从郴州西站乘坐高铁到广州南站，只需约1个半小时。交通和地理位置上的便利给当地经济的发展提供了机遇，也为大量的青壮年外出打工提供了便利，留守儿童问题应运而生。

郴州人外出打工，首选广东，以东莞、深圳为首选。“近嘛，通了高铁只要一个多小时，还来不及打个盹就到了”，在一个叫华塘镇的小镇上，同大多数乡村一样，人们收入的主要来源靠打工，男人外出打工留守的女人带着小孩在家里做点小生意，过日子。

出去的人多了，留守儿童也自然多了起来，镇上唯一的一所学校里，留守儿童的数字也在不断增长。华塘镇中心学校政教处主任刘永德介绍说，2008年成立留守儿童之家时，留守儿童有89人，约占全校在校学生总数8%，2012年，这一数字增长到200多人，占全校学生总数的1/6左右，这一数字与一般农村留守儿童占比18%–22%大致相当。

华塘镇中心学校在当地具有一定的规模，由华塘学区、华塘中学和华塘中心完小三家合并，设有九个年级，学生1300多人。在学校门前挂有特殊的牌子——“北湖消防留守儿童之家”。2008年3月5日，北湖区消防大队的武警官兵与华塘镇中心学校共同组建了北湖区的第一个留守儿童之家，“希望通过‘留守儿童之家’这个平台，搭建起消防官兵与留守儿童的心灵之桥，让广大留守儿童感受到社会大家庭的温暖”，北湖区消防大队教导员张华灿说。

在这个留守儿童之家里，有留守儿童图书室、阅览室、体育室、活动室、咨询室等活动场所，还特设了一部留守儿童亲情专线，实行“知心哥哥”、“知心姐姐”、“大手牵小手”结对帮扶制度，成立了“关爱留守儿童志愿者队”，实行“真心换真心”制度，留守儿童信息卡制度，动态管理制度，健康成长制度……

刘永德说，学校专门成立了一个留守儿童工作领导小组，镇上由一名主管教育的副镇长担任组长，再加上镇团委书记和学校的团委书记，专门负责学校里的留守儿童工作。

华塘镇中心学校团委书记黄明祥说，留守儿童最大的问题还是心理上的。12到14岁这个年龄的孩子，是心理成熟的一个转折点，也是人生观形成的重要阶段，如果父母不在身边，心理上的问题无法得到及时有效疏导，会给孩子的成长带来负面的影响。

黄明祥讲了一个例子。学校八年级有一个女孩小曹，13岁，是一个典型的留守儿童。小曹10岁那年父亲去世，家里只有母亲照料生活，后来母亲外出打工后，和姑姑一起生活。“她的主要问题是跟同学相处不太和睦，跟老师同学之间不愿深入交往，很明显有一种自卑的心态”，黄明祥说。

黄明祥说，这是一种典型的由于家庭生活环境变化而引起的人际交流障碍，在留守儿童中较为常见，班主任发现她的问题后主动找她谈心交流，关心她的生活情况，经过一段时间的疏导后，慢慢摆脱了那种自卑的状态，从阴影中走了出来。

华塘镇“留守儿童之家”，最大的特色是心理咨询。学校安排受过培训的老师担任心理咨询师，为每个留守儿童建立心理档案。既有老师主动发现，班主任反映的案例，也有学生主动来咨询的案例，对学生帮助很大，校长都要对一些学生进行跟踪辅导。

心理咨询档案中，每次心理咨询都会有记录，根据不同孩子的特点进行一对一的辅导，比如有的孩子虽然学习成绩不太好，但有体育方面的特长，就对其专长进行辅导，鼓励他参加乒乓球等比赛，尽量使其发挥特长，不让其处于孤立的状态。

黄明祥说，学校对留守儿童实行“三个优先”的政策，学习上优先辅导，生活上优先照顾，活动上优先参加，留守儿童已经作为学校的一项日常工作纳入学校的管理制度之中，学校的政教处甚至与留守之家合在一起办公。

父母外出打工，部分家庭比较贫困的留守儿童生活出现一些困难，数量上大概占20%左右，当地的政府为此设立了一个穷困留守儿童帮扶基金，根据贫困状态，对留守儿童每个学期给予500元到800元的生活补贴。

刘永德说，大部分的留守儿童都寄宿在学校，学校从周一到周五实行封闭式管理，在对留守儿童的管理上也能有所兼顾，不会出现父母不在家无人管的现象。在学校里，留守儿童学习成绩好的占多数，他们一般跟其他同学看不出有什么差别。

除了学校期间的管理，对留守儿童的去向也一直有跟踪反馈，“最近有好几个考上大学的还回学校来看我呢”，刘永德说。

对于未能考上高中的留守儿童，大部分会继续去读中专或者技校，初中就出去打工的比例较少，因为当政府对于读中专和技校有一定的补贴，选择继续读书，一年的花费也不大，大部分留守儿童，即使家庭情况不太好，也会多读几年的书。“毕竟多读些书再出去打工总会是好的”，刘永德说。

13. 成长试验：打开孩子们的心扉

2010年秋，一个名为农村留守儿童“4+1”教育模式的试验项目在重庆30个区县悄然进行。该模式根据留守儿童的共性问题，从思想政治、人格品质、心理情感、行为养成、营养健康和安全等五个方面开展试验，利用寄宿制学校学生课外活动时间，帮助留守儿童消除父母带来的心理情感缺失等问题，成为留守儿童成长教育的一个重要探索。“为了200多万留守儿童的明天”，重庆《时代信报》对这一试验进行了全记录。

“在台湾地区，我们没有留守儿童的说法，都叫弱势家庭儿童……”2010年秋，来自台湾的教育专家周淑祯来到了重庆。此前，周淑祯是台湾博幼基金会执行长。该基金会专收低收入、单亲等弱势学童。在近十年来，帮助了数千位弱势学童提升成绩，找到自信。

台湾的教学经验告诉周淑祯，想要对留守儿童进行长远的心理帮助，必须有一套系统的流程。在其所编的《标准化实施流程》中，密密麻麻地排满了各种表格：亲情书信、情景模拟、寝室文化、心理辅导等应有尽有。单教育活动就分为月常规活动、周常规活动与日常规活动几个部分。

“这是一个可以适合于各个学校的模板”，周淑祯说，比如每个孩子每月必须参加一次集体生日，做一次情景模拟，每周必须有情节评比、学生家访，每日必须与亲人通一次电话、做一次心理辅导评估……

通过走访、记录重庆多所乡村小学的教学状态，在老师与志愿者的协助下，一套专门针对重庆留守儿童的教学模式《重庆留守儿童教育模式推广试验项目标准化实施流程》出炉了。

“试验刚开始的时候，有不少志愿者都抱怨，表格要求过分细致没有办法填，有的甚至敷衍了事。”比如，他们喜欢概括性地说，氛围很好，我就问什么叫氛围好？请举个例子比如，孩子们这个月打了多少次亲情电话，你们有多少次家访……标准化，是为了要让我们清晰地看到付出与收获，周淑祯说。

周淑祯对留守儿童的心理辅导试验，在重庆石柱县冷水小学和丰都县北京青年希望小学率先进行，经过测试，工作组人员发现，在这些留守儿童中，有67%存在心理障碍。他们大都是父母同时外出务工的孩子，他们中的80%由爷爷奶奶、外公外婆抚养，20%托付给亲戚朋友，或无人监护。由于父母常年离家，性格孤僻、脆弱、道德教育缺失，成了留守儿童最大的心理问题。

在开展辅导试验的小学，每个孩子都能得到一支笔和一摞信笺纸，要是遇上委屈、疑惑或是需要倾诉的时候，他们将想说的话写下来，放入一个绿色的知心姐姐信箱后，便可以得到知心姐姐的帮助。知心姐姐由学校的老师扮演，孩子们给任何一位知心姐姐写信，都会得到答复。

“要打开孩子们的心扉，并不是件容易的事”，一位“知心姐姐”说。最开始的时候，写信的孩子很少，写了也不会留下名字。但“姐姐们”总能根据信中的内容对号入座，猜到那个匿名的孩子。经过一段时间沟通，孩子们发现这样的交流非常轻松，开始主动留下名字，老师也会在回复后直接将信交给这位同学。“一旦打开的心扉，孩子们总是真诚得让人感动”，这位“知心姐姐”说。

一位名叫张玉林的孩子在信中用歪歪斜斜的字体写道：“姐姐你好，有件事一直困扰着我。我看到同学的妈妈来学校看望他，我非常自卑。我3岁时，爸爸出了车祸，妈妈就离开了我，你说我该怎么办？”

这短短几十个字让“知心姐姐”思考良久。在回信中，“知心姐姐”告诉张玉林，“在生活里谁都会遇到不幸。汶川地震中，那么多人失去了亲人，但他们仍然坚强着重建自己的家园，实现自己的梦想……”信的末尾，“知心姐姐”最后的请求是，“希望以后的事情都可以与知心姐姐分享，好吗？”

二年级二班的洪丽华曾与“知心姐姐”进行了一场关于友谊的“探讨”。她在信中告诉姐姐，“最近我和我的好朋友吵了一架，我们都不互相说话，所以她很伤心，我也很伤心。请你帮助我一下好不好？”

对于不愿意写信或心理问题严重的孩子，学校开办了“快乐成长室”。这个可以与老师们面对面沟通的地方，曾经叫做“心理咨询室”，为了让孩子们没有心理负担，学校特意将门上那几个字改了过来。四年级离家出走的问题学生杨继秀，就是在这里三进三出，找到了自己的快乐。

在心理情感教育游戏中，孩子们最喜欢的，要数每个人都能参与的“集体生日”。试验项目规定，每个月第三周的星期二，为该月出生学生的集体生日。这天，学校将会组织学生包抄手、饺子，做小礼物，为寿星们送上祝福。当然，一场独特的生日聚会是必不可少的。在这个集体生日里，每个人都不会孤单。

在合川育才小学的一场集体生日上，100多位学生集中在陶行知纪念馆外的空地上，为20多位小寿星表演舞蹈、短剧、军体拳、武术、器乐……黑暗中，校长点亮年龄最小的寿星手中的蜡烛，小寿星再点燃旁边同学手中的蜡烛，依次下去，直到所有寿星手中的蜡烛全都点亮。“他们戴着红色的纸皇冠，穿着绿色校服，小心翼翼地把蜡烛放到空地上。不久后，蜡烛成一个心形图案，小寿星们咧开嘴，在烛光中笑得像天使一样。”

那一天，在同学们唱《生日歌》中，六年级的龚媛媛许了一个愿：“希望爸爸妈妈有空回来看看我。”她悄悄告诉刘明先，“我开始慢慢的理解爸爸妈妈，他们是为了让我过得更好才到远方去工作的，我想对他们说，‘爸爸妈妈我爱你们，请放心，我会听外婆的话’。”五年级的祖文艺在日记中写到：“每次我过生日的时候，爸爸妈妈都不在家，我常常会感到孤独，今天同学们给我过生日，我感到非常的温暖和快乐。”

试验项目中的每一项内容，都是为了帮助孩子们战胜孤独，感受与他人、与社会、与同伴的情感互动，比如秀山县隘口镇凉桥小学每周三进行的“真情家访”活动，老师们与学生一起打扫、煮饭、整理家务；武隆县土地乡中心小学的代理家长制度，每位老师结识3至6名“干儿子”、“干女儿”，有老师甚至将孩子接到自己家里住……

根据测试，试验工作组发现，留守儿童的“亲子关系危急”与“自责倾向”比例，分别下降了10%-26%，存在心理问题的学生下降了35%。

邓勃 摄

“在家创业业兴隆，出外求财财到手。”这是阿婷家门口的对联，对联下面墙脚覆盖着一层滑溜的苔癣。

阿婷所在的广东省和平县富联村有2900多人，但在村里见到的都是一些老人和孩子。村里人说，村里只要有一点力气的人都去外面打工了。

山里空气是好，环境是美，水质是清甜，但这一切都无法代替肚子！要赚钱，要找出路，只有走出翠绿的高山。外出无非有两种，一种是读书，读大学，在城里工作；一种是纯粹外出打工，赚辛苦钱。

要改变命运，只有读书！但在这贫瘠的山区又谈何容易？这里的孩子才几岁大就开始上山砍柴，下田耕种，同时还要喂猪、喂狗、喂猫和煮饭，这一切都因为一个字：穷！阿婷与她的伙伴一样，从学说话开始就已学会了“穷”字。她的父母从她还没懂事就离开她与她年迈的奶奶去打工，每年过年时才回家几天。“我爸妈在东莞打工，很辛苦，每次回来，爸妈的神态都很疲倦，他们为我们的生活在出卖着他们的力气，他们的汗水……”阿婷用生硬的普通话说时，眼眶红了。

她的弟弟手拿着玩具望远镜到处看……

阿婷家老房旁边，是她家的菜地，菜地里金黄色的菜花向上盛开着。

留守的孩子更需要一个情感宣泄的渠道。邓勃 摄

文连从7岁开始，就学会了除草、拔麦苗、做饭、喂猪，家里的农活基本都能干。邓勃 摄

广东茂名市茂港区羊角务工人员子弟学校7岁的寄宿生谭泽彬。邓勃 摄

茂名市茂港区羊角务工人员子弟学校，7岁的寄宿生何国宇紧紧地拽住来看他的奶奶，他家离学校20多公里，父母都在广州打工。邓勃 摄

茂名市茂港区羊角务工人员子弟学校，7岁的寄宿生何国宇的爷爷奶奶来看他。邓勃 摄

茂名市茂港区羊角务工人员子弟学校，这学校在校学生3300多人，留守儿童应该占了一半多学生。邓勃 摄

茂名市茂港区羊角务工人员子弟学校，傍晚，校园里一个孩子在偷偷地哭泣。邓勃 摄

对于留守儿童来说，父母不在身边，学校对他们来说，也许就意味着第二个家。邓勃 摄

学校寄宿生，生活自理是他们的必修课。邓勃 摄

“小候鸟们”的城市生活。邓勃 摄

小玉兰的愿望是希望能够继续读书（P15）。季续然 摄

因为父母都不在了，王华、王昌新兄妹的性格变得有些怪异，不肯与人说话（P19）。季续然 摄

父母外出打工后，三姐妹王莎、王欢、王莎美都成了留守儿童（P16）。季续然 摄

奶奶说，由于年纪大了，身体也不大好，如果那一天她动不了了，这三个女娃就没有人管了（P16）。季续然 摄

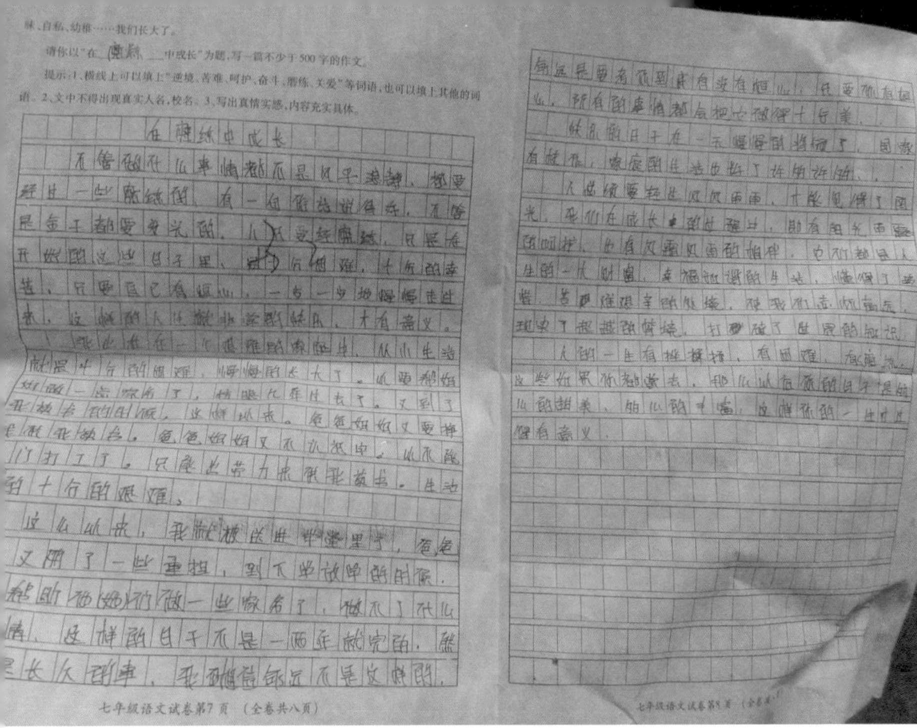

[illegible]、自私、幼稚……我们长大了。

请你以“在 磨练 ＿＿中成长”为题，写一篇不少于500字的作文。

提示：1、横线上可以填上“逆境、苦难、呵护、奋斗、磨练、关爱”等词语，也可以填上其他的词语。2、文中不得出现真实人名，校名。3、写出真情实感，内容充实具体。

在磨练中成长

不管做什么事情都不是风平浪静，都要经过一些磨练的。有一句俗话说得好，不管是金子都要发光的。人要经磨练，只是在开始的这些日子里，有很多困难，十分的辛苦，只要自己有信心，一步一步地慢慢走过来，这样的人生就非常的快乐，才有意义。

我也在在一个很难的家庭中，从小生活就是十分的困难，慢慢的长大了。必要帮妈妈做一点家务了，转眼几年过去了。又到了我要去读书的时候，这样以来。爸爸妈妈又要挣钱给我读书。爸爸妈妈又不认识字。不能出门打工了。只能出劳力来供我读书。生活的十分的艰难。

这么以来，我就被送进学堂里了，爸爸又开了一些重担，到下学放学的时候，帮助爷奶们做一些家务了，做不了什么事情。这样的日子不是一两年就完的，然是长久的事。我相信命运不是这样的，命运是要看你自己有没有信心。只要你有信心，所有的事情都会把它做得十分美。

然后的日子在一天慢慢的好转了。国家有政策，家庭的生活也好了许多许多。

人必须要经过风风雨雨，才能见得了阳光。我们在成长的过程中，即有阳光雨露的呵护，也有风霜风雨的磨砺。它们都是人生的一大财富。幸福如意的生活，懂得了关爱；苦难艰辛的处境，使我们去拼搏奋斗，经受了超越的考验，打破了世界的知识。

人的一生有挫折，有困难，有痛苦。这些如果你都尝过，那么以后你的日子里是如此的甜美，幸福的丰富。这样你的一生才过得有意义。

七年级语文试卷第7页　（全卷共八页）

七年级语文试卷第8页　（全卷[illegible]

在一篇以“在＿＿中成长”的半命题作文中，13岁的刘顺艳选择了“磨练”为题作为答卷（P20）。季续然 摄

父母都去浙江打工，刘顺刚、刘顺艳姐弟便与爷爷奶奶生活在一起（P19）。季续然 摄

不能让留守儿童成为被甩脱的一代，教育尤为关键，学校应该给予留守儿童更多的关心和爱护。邓勃 摄

城里把乡村称伊甸园，也称天堂，但他们都想尽办法离开，最后只剩下老人和孩子。邓勃 摄

留守老人们相约到杨集赶集，走在崎岖的山路上。80岁的彭先用（前）挑着老伴采摘的20斤酸枣，准备到集市上卖（P140）。 孙树宝 摄

潍坊社区义工联合会的志愿者们不论冬夏雨雪，都坚持每月的最后一个周日到杨集庵村为老人免费义诊，村里的小小诊所解决了老人们的大问题（P145）。孙树宝 摄

李守英到离村400米的山上挑水。因为家里没有水井，老人们日常吃用的水都是挑来的（P139）。孙树宝 摄

几乎每次志愿者们到来后临走时，老人们都会送到村外，直到客人的身影消失在大山中（P145）。孙树宝 摄

几乎每次志愿者们到来后临走时，老人们都会送到村外，直到客人的身影消失在大山中（P145）。孙树宝 摄

邓勃 摄

每天夜里
我都回到家
但梦里的家是那样的模糊
只有一只春燕
停留在一条电线上
做梦

第二部

留守妇女：独守的空房和空寂的原野

留守妇女正在面临两大问题：家里的农活和家务“双重负担”；性需求的困惑。

性，人最基本的生理需求，在农村留守妇女眼中它很奢侈。留守妇女尤其是年轻妇女，常戏称自己是“半个寡妇”。夫妻长时间分居，性权利被现实无情剥夺。需要爱需要温暖的她们为了性的满足，不少人很多时候选择“红杏出墙”。

身心俱疲的留守妇女如何面对生活的残酷？随着农村男劳力大规模向城市和非农产业转移，“女耕男工”成为当下农村家庭普遍生产生活模式，留守妇女成为农业生产主力军。为整合劳动力资源，留守妇女们自发成立“互帮组”，相互帮忙照应各家农活。“互助组”成为破解农村留守妇女劳作困境之苦的有益尝试。尝试只是开始，如何从根源上解决农村留守妇女种种困惑，路还很长，很长。

第四篇　困境中难撑一片天

14. 刘小凤之苦

2012年5月下旬凌晨4时，东方还没有一丝曙光，河南新乡辉县市张村乡的刘小凤已经从床上爬了起来，这正是夏季麦收的关键时刻。刘小凤今年38岁，丈夫常年在外打工，刘小凤自然成了家里的主要劳动力。刘小凤所在村庄地处山区，交通不便，耕地分散在一个个山坳上，无法大规模使用收割机器，她只能靠自己的双手收割家里近6亩地的小麦。

辉县市面积2004平方公里，其中2/3是山区。山区小麦种植面积22万亩。土地薄瘠、产量不高、地块分散、交通不便，山区麦收堪称“龙口夺食”，山区留守女人在紧张麦收中的劳累被喻为“不死也得脱层皮”。市农业局负责人说，虽然在平原地区已经用上了收割机器，但在山区地方，耕作条件短期内难有变化。

刘小凤有两个儿女，大女儿已经出嫁，小儿子则在县城读中学，每个月才能回来一次。4点起来，刘小凤先要帮家里年迈的公公和婆婆做好早餐，把公公婆婆的早餐放在餐桌上后，匆匆带上毛巾、镰刀、水壶、草帽出门。

天刚蒙蒙亮，刘小凤已经来到位于山上的田地里。面对成熟的小麦，她弯腰、揽起麦子、下镰刀割、直起腰把割好的麦子堆在一边。这样弯腰、直腰的动作，刘小凤一天下来要重复上千次。五月的清晨，中原的气温不算高，但几次弯腰动作之后汗水很快从刘小凤的身上渗了出来，刘小凤来不及直起身擦汗，她仍然不断重复着弯腰动作。星星点点的汗水很快聚集起来，刘小凤的单衣渐渐被汗水湿透，手臂上的汗水随着刘小凤一次次的弯腰动作被抛撒出去，身上的汗水沿着身体缓缓流下。半个小时不到，刘小凤的衣服被汗水湿透，不停地弯着腰专心收着夏麦。刘小凤心里明白，时间太紧了，如果不能在这几天内将夏麦收完，会耽搁其他农作物的种植。在刘小凤周围的田地里，是一个个忙碌的身影，这些身影仔细辨别一下就能发现，和刘小凤身份一样，也是留守在家的女人。

6时30分，旭日东升时，刘小凤用独轮车将刚刚收割的小麦归拢好，摆放在独轮车上，急匆匆往家赶。回到家，急匆匆地扒两口早饭，继续赶着时间下地干活，直到上午11时，刘小凤才能从繁重的收麦劳动中解脱出来，赶回家为家里人做午饭。午饭做完，她又要顶着烈日到田间收割。

“累，怎么不累人？”刘小凤说，在夏收里，不仅要割麦，而且还要用独轮车将麦子运回家，这每天十几趟地来回运送，一路上衣服湿了又干干了又湿，却顾不上换。夏收时节，刘小凤要一直这么将这些简单重复的劳动持续到晚上，粗略算下来，在农忙时节，一天得干15个小时。晚上天黑后回到家，刘小凤通常累得连晚饭不想吃，只想倒头睡觉。一轮紧张的抢收后，紧接着又是累人的抢种。

原本两个人的活，现在只有刘小凤一个人背，这和村里几乎所有留守妇女的情况一样。唯一不同的是，家里老人的健康状况以及孩子的大小。有些人家老人和孩子能帮忙干活，可以稍微轻轻一下。刘小凤唯一感到欣慰的是，由于男人在外打工，家里的房子在村里算是比较漂亮的，家里电视机、沙发一应俱全，两个孩子上学的费用也不成问题。

15. “留守妈妈”的杀子与自杀

2012年3月22日，陕西周至县终南镇庞仁堡村的任丽丽给两个一岁半的双胞胎女儿灌下毒药后，服毒自杀。两个孩子最终抢救生还，任丽丽撒手西去。5天后，四川省大竹县留守妇女唐成芳自杀——自杀前她亲手把毒药喂给了三个亲生孩子，大女儿八岁，小儿子才八个月。抢救过来的唐成芳说：“活着太累。”

先杀孩子，“不让孩子受苦”；再自杀，“太累了”——浸透着无尽悲苦和绝望，任丽丽和唐成芳的自杀被视为中国4700万留守妇女问题的激进式演化。事实上，留守在家的妇女们，既要忍受生活压力和劳作压力，还要忍受孤单寂寞和来自各方面的骚扰，两地分居所带来的巨大心理和生理压力。此中痛苦，难以言喻。

任丽丽就是被双重压力压垮的。这个名字美丽的女人，生活却极其坎坷。2010年，她一嫁到周至县终南镇庞仁堡村后，就和村里很多妇女一样成了留守妇女，一年后“升级”为留守母亲。

任丽丽的夫家其实不错——终南镇是周至县的大镇，庞仁堡村是镇里的大村，可如今早走在村子里却难觅青壮年男人，留在村里的只有“留守三大员”——老人、妇女、孩子，村里人开玩笑中的“死老汉病娃”。

婆婆说，自从二儿媳（指任丽丽）死后，为了能给丈夫腾出出门打工时间，她只好一个人带两个孙女，再累也得硬撑着。

那一年任丽丽的公公56岁，公公婆婆本来有很多烦心事：大儿子智力有障碍，2011年4月“总算把婚结了”；大儿媳小时候患过脑膜炎，在家也只能帮点小忙，现在需要他们帮忙照料。

任丽丽的老公李强（化名）16岁外出打工，他们间的相识颇具戏剧性——5年前，李强在打工时帮助了一名学生，学生的姐姐就是任丽丽。由于家庭困难弟弟要读书，任丽丽早早辍学了，当时正在西安打工。谈了一年恋爱后，两人的爱情瓜熟蒂落，正式结婚。嫁入李家后，任丽丽干活麻利，待人诚恳，孝顺老人，一家人生活得还不错。婚后第二年，任丽丽怀孕，后诞下一对双胞胎。两个孩子的到来，给家庭带来了经济压力，李强于是再次外出打工。

惨剧发生的最直接诱因是孩子吃的奶粉。任丽丽从小家里穷，营养不够，生育后奶水严重不足。李强打的是建筑工，要等年底才能拿到钱，平时奶粉钱只能由公公先垫着，可公公经济也困难，还要照顾大儿子。婆婆花500多元买了一只母山羊来，准备给孙女补补身子。遗憾的是母山羊不下奶，婆婆便又将母山羊卖了。

面对抚养孩子的压力，身体瘦弱的任丽丽精神压力正一点一点加大。出事前一天晚上，任丽丽告诉婆婆“娃没奶粉了”，婆婆第二天一大早便到镇上赊了一箱奶粉，到家后门怎么叫也叫不开。婆婆急了，从后门翻墙而入，发现大事不妙。

服下大量农药的任丽丽几乎是当场就不行了。两个女儿万幸被救活。

带着儿女一起寻死——这种极其惨烈的诀别方式，在农村并不孤立。孤苦、清贫的家境和压力，随时可以将一个弱小女子的梦想扭断。“我不活了，孩子也不要留在这里受苦”的极端想法，瞬间令人恐惧地放大，并酿成一种血泪下的杀机。

孩子苦，妈妈更苦；留守的妻子、妈妈物质生活贫困精神上赤贫，这样的说法用在唐成芳身上并不为过。

2012年3月27日清晨7时，四川大竹县月华镇年仅27岁的母亲唐成芳把加了白糖的剧毒农药百草枯灌进了3个亲生孩子的嘴里，然后自己服下农药。一家人终被抢救过来。

那一天，在出事现场，唐成芳左手拿水瓢，弯着腰，嘴里正吐出蓝绿色的液体——她不仅给孩子灌下了农药，自己也喝了。在亲戚的安慰声中，唐成芳嚎啕大喊“不想活了！”

唐成芳和孩子们活下来了，可她的决绝行为震惊了丈夫老李。远在福建打工的丈夫根本不敢相信老婆会给三个孩子喂农药，尽管唐成芳以前有过轻生的举动。

“抑郁症！”人们这样推测。老李觉得应该是这样的——一个人带孩子太累了。自己在外打工时，老婆经常在电话里抱怨“带孩子太累，应付不过来。”由于看得出老婆的情绪有时不稳定，老李往家里打电话打得很勤，两三天一个电话，安慰老婆“过两年就好了。”

老李对未来的日子充满了担忧。本来他打工一个月挣3000元，自己用几百元，剩下的全部寄回家。可现在出事了，他不知道该怎么办。

2012年4月2日，重庆市梁平县云龙镇东风村三组“留守母亲”郑秀伟，在黑暗中举刀砍向两个儿子，大儿子在送医过程中死亡，小儿子经抢救脱离生命危险，但伤势严重。

4月2日23时许，郑秀伟趁12岁的小华和10岁的小明熟睡之际举刀砍向他们。四天后，郑秀伟的遗体在附近龙溪河被找到，梁平县公安局认定是郑秀伟砍杀孩子后自杀。

小儿子小明醒过来后说：“妈妈砍哥哥，哥哥大喊，我醒来去拉灯，妈妈又关上灯来砍我。哥哥躲在床底下，从大门逃出去了。我从厨房跑出去，摔在沟里，妈妈还疯一样砍我，我就晕过去了。”哥哥在送医途中因失血过多休克死亡，小明经过5个多小时的抢救脱离了生命危险，头部留下伤口80多处。

丈夫朱家文从打工地安徽赶回后，根本无法接受眼前的一切。朱家文与郑秀伟10多年前在福建认识，两个儿子出生后一直由老人在老家抚养，直到4年前老人去世后郑秀伟中断打工回家带孩子，朱家文则仍留下继续打工。朱家文说，郑秀伟患有很厉害的妇科病和结石病，心情一直不是很好，经常要带看病。

4月1日上午，郑秀伟又打电话要求丈夫回家带她去看病，朱家文当时表示准备回来，可四个多小时后悲剧发生了。朱家文事后回想起来说，去年底郑秀伟就曾说过不回来带她去看病，就买药把两个孩子毒死，当时只觉得那是气话没有多想。事发后，多位邻居说曾听郑秀伟说过“我得了这么多病，活不了多久，死也要带着两个娃儿”之类的话。朱家文之前曾带郑秀伟去精神病医院就诊，医生诊断为“轻度幻觉”，先后两次开了近2000多元的药，可郑秀伟看到药品说明书上的副作用后拒绝服药，并说医生要整死她。

“留守妈妈”何以怨生不惧死？接二连三的惨剧当引起人们怎样的思考？

当下的偏僻农村，丈夫远走了，父母老了，学校撤了孩子上学远了，留守中的妇人常常在深夜的青灯孤影中坐立不安，她们担心孩子的安全牵挂老人的健康，苦念着远方的亲人却还得克制自己骚动脆弱的内心。孩子苦，妈妈更苦。

中国农业大学一项历时两年的针对中国农村留守妇女的研究显示，繁重的农业生产劳动使留守妇女更易患过度劳累而导致的疾病，腰腿疼痛、风湿等疾病在留守妇女中随处可见。接近七成的丈夫每年外出务工达9至12个月，44.3%的丈夫每年只回家一次，而98%的留守妇女只能通过电话与丈夫联系，每次通话不超过三分钟的超过五分之一。一些留守妇女长期处于性压抑状态，从而导致69.8%的留守妇女经常感到烦躁，50.6%的留守妇女经常感到焦虑，39.0%的妇女经常感到压抑。

16. 网络歌谣和被改变的命运

河南商丘市睢县匡城乡夏庄村，有147户，700多人，留守妇女120人，她们大多上有老下有小，39岁农妇朱冬梅就是其中的一个。朱冬梅结婚后一个月，便开始了长达14年的留守岁月。

2012年5月上旬，我们在夏庄村几经周折在农田里找到了正在为庄稼打农药的朱冬梅。皮肤黝黑，双手粗糙的朱冬梅，比一般的农村留守妇女更注重仪表。让人想不到的是，这名普通的农村留守妇女竟是全国知名的新民谣《新娘歌》的创作者。

5月上旬，气温已经开始升高，朱冬梅背着药桶站在田间。太阳炽烈依旧，人刚往地里一站，汗立马就冒出来。朱冬梅家分到了12亩地，分成了大大小小的十几块，东一块西一块散落在村子周围，“最近的就在家门口，几分钟就走到，最远的要走上几十分钟。”朱冬梅说。

朱冬梅背上的农药桶有五六十斤重，打完一圈下来要背十多桶，走到后来东倒西歪，“脚都不听使唤”。朱冬梅说，这并不是最繁重的农活，等到农忙时节，曾有过一个人连续地把几千斤的粪肥挑完，或者一天干上十几小时的农活，从早上睁眼忙到深夜。

“月儿弯弯照新房，十家新房九家荒。新郎打工去城市，留下新娘守空床。新娘新娘在家忙，家里家外挑大梁。下田学开农用车，回家又养猪和羊。汗水湿了新衣裳，日头晒黑俏面庞。新郎新郎怎么样，莫忘家中苦新娘。在外莫与人争强，更莫贪恋野花香。只愿平安早回转，夫妻一起奔小康。” 这首在网络上备受追捧的民谣《新娘歌》，是朱冬梅的心血与情感之作。

朱冬梅自幼酷爱文学，喜欢看古典文学书籍，虽因家境贫困，高中未上完就退学回家，但一直保持着看书和写作的习惯。1994年，朱冬梅和夏令东结婚。结婚一个月后，夏令东跟着别人到北京打工，一年回家两次，每次最多不超过两个星期。此后，朱冬梅一人独守空房，并扛起了家中的一切农活和家务，令她没有想到的是，这种状况在艰难中持续了14年。

白天，朱冬梅一肩挑着12亩田地的重担，照料体弱多病的公公婆婆和年迈的奶奶，并抚养三个子女。农忙时节，要连续一个多星期干重活。每当农活忙不过来的时候，朱冬梅就会想起远在天边打工养家的丈夫。朱冬梅说，平时总担心在外打工的丈夫，最令她受不了的是，心里的苦和委屈无处诉说。后来，朱冬梅开始给丈夫写信。时间一长，两人不再一封一封地寄信，而是彼此每天将要说的话写在日记本里，写完一本就寄给对方。日积月累，除了丢失的，如今攒下26本，夫妇俩戏称为“留守日记”。

朱冬梅和丈夫因为喜爱文学，甚至多次获奖。2010年，《新娘歌》获得“2010年十大网络新民谣”称号，获得奖金1万元，《新娘歌》后来被谱成多种版本的歌曲传唱。2011年，商丘市妇联授予朱冬梅“商丘市好媳妇”称号。

随着荣誉的接踵而来，朱冬梅和丈夫的命运也在不知不觉中改变。如今的朱冬梅已经在村里效益最好的面粉厂打工，只是在农忙时节才回家帮忙。丈夫夏令东则从北京返乡，回到家里和家里老人一起干自家农田里的活儿。

第五篇　留守妇女的“乡城性史”

17. “红杏出墙”的血和泪

2012年正月十五刚过，各地迎来春运返程高峰，不少在外打工的游子又到了背井离乡，出门打工的日子了。家在河南的刘鹏飞决定今年留在家里打工。家里打工意味着每个月收入减少三分之一，可他还是决定留下。“回家打工可以和老婆在一起，一家人在一起，干活心里安定一点”，刘鹏飞说。令他真正转变主意，下定决心回家打工的动力来自近年来村里的不少传闻。俗话说：“兔子不吃窝边草”，可如今一些坏兔子专吃窝边草，搞得留守妇女的丈夫在外很不安心，整日忧心忡忡，担心自己的老婆红杏出墙。

“那些出去打工的人，等他们回来，自己的媳妇到底是谁的还是个未知数呢！”这句话是杜凤华说的。杜凤华活了43年，生前是云南镇雄农民。而让人们熟知的，是拥有一个绰号：现代“西门庆”——近10年来，杜凤华对身边10余名外出打工人员的妻子为所欲为，甚至有教唆伙同其情妇苏红毒死苏的丈夫和儿子的嫌疑。杜凤华利用留守妇女无尽的寂寞和极度匮乏的安全感，将留守妇女一个个引入不伦的深渊。在各方传言下，杜凤华被苏红的丈夫等10余名从外地赶回来的男人合力乱棒打死。

故事发生的地方坪桥村，是云南镇雄县的一个边远山村，位于云贵两省的交界处，这是中国西南一个不起眼的边陲小镇。这里山高路险，当地自然条件差，村民靠耕作山坡上贫瘠的土地维持生计，村里的青壮年劳力几乎都外出打工了。男人外出打工后，村子慢慢成为了 “寡妇村”。坪桥村的女人们和其他地方的留守妇女一样，迫使自己从家里的配角变成主角——照顾公婆，照顾小孩，操持家务；同时，想念丈夫。

青壮年纷纷涌向广东等经济发达地区打工，从事建筑、加工等行业，妇女们一拨拨送走自己的男人后，留下的只有自己、老人和孩子。

体形高大魁梧的杜凤华是村里唯一没有出去打工的“壮丁”。杜凤华向来游手好闲，有时在集市摆个散套，或者替人掏取耳结石，还叫卖点膏药。这种谋生方式让他变得伶牙俐齿，“能说甜言蜜语”，体形壮硕又让他成了村子里干重活最可依赖、“能帮忙”的对象。

打工潮掏空了村庄，杜凤华却迅速变成了受欢迎的人。当年，自小就劣迹斑斑的杜凤华在三家寨周围几个村子“名声太烂了”，当地无人愿意将姑娘许给他做媳妇。杜凤华因学得一些简单的医疗知识，成了当地一名医生。后来，杜凤华与比自己大四五岁已经离异的刘花会结婚。刘花会老实忠厚，平日里的所有家务自己一人包揽了，长子已长成十七八岁的小伙子，和同村人一起长年在外打工，十多岁的二儿子在上小学。

杜凤华不仅热衷于帮人“摆平”麻烦，还开始为性侵犯村里留守妇女而进行“布局”。每当夜幕降临，杜凤华会故意把家里那台寨子里仅有的电视机声音开得很响，吸引众多为等待丈夫归来而长年在家独守空房的留守妇女们。

闲聊、扯家常的时候，有女人会大大咧咧开玩笑，甚至把夫妻之间的事说得“一丝不挂”。杜凤华发现自己和这些女人之间“仅隔着一层纸”，甚至认为村里这些“寡妇”对丈夫的牵挂，实际上只是对性的一种渴求。

杜凤华用尽心机，进行“舆论准备”。他挑拨留守妇女们：“丈夫没回家就一定是有了女人。”有的男人一两年不回家，杜凤华就“重点攻击”。无疑，这种攻击非常有破坏力。

新婚不久的阿芳自从丈夫外出打工后总感觉日子没有盼头，每逢赶集的日子总要到街上“透透气”，常常在集市结束时找杜凤华同行，甚至一道走夜路。在一个黑夜里，杜凤华和阿芳同行在回村的乡间公路上，行走间杜凤华忽然把阿芳按倒在路边的草丛中……自此以后，赶集的日子就成了二人偷情的节日。开始的时候，两人的关系还限于偷偷摸摸的保密阶段，后来村里有人发现阿芳索性放下家里的活儿，跟随杜凤华到另一个乡街上卖药了。

阿芳的丈夫得知后带着两个弟弟回村里找杜凤华拼命，高大的杜凤华凶霸地当着阿芳的面将其打得口吐鲜血。后来，阿芳听从父亲的劝导，和丈夫远走他乡。

杜凤华变本加厉，继续采取勾引、胁迫的手段促使其他留守女人就范。

2006年年初，杜凤华把猎色的目光对准了三家寨之外的腮嘎村小组的留守女人。几百人居住的腮嘎村清一色住着吴氏家族的人，由于年轻男人出门打工对老婆放心不下，腮嘎村的老人们便组织护村队伍，盘问在村子里出现的陌生男人。每当夜幕降临，老人们会以串门玩耍的形式敲开丈夫不在家的女人房门，逐一在每一间房里查找可疑的踪影。

村里年近30岁的苏红让杜凤华一见倾心。由于苏红的母亲患上了牙疾，苏红来到杜凤华的药摊抓药。得知苏红取了药后要回娘家，杜凤华借口到苏红家为其母亲看病。在苏红家，杜凤华得知苏红的大哥和弟弟都外出打工去了，村子有人想侵占她家的自留地。为赢得苏红的好感，杜凤华在千方百计治好其母亲牙疾的同时，决定帮苏家解决这宗土地争议。土地争议解决后，深谙杜凤华内心的苏红以从腮嘎回娘家为由，直接住进杜凤华的家里。

苏红的出轨在腮嘎村吴氏家族中掀起轩然大波，老人们犹如热锅上的蚂蚁，他们在电话里呼唤有老婆的男人赶紧回家“看好”自己的老婆。苏红在家族的压力下“回心转意”。2007年11月22日深夜，苏红打电话给杜凤华：“我们两个的事情被丈夫知道了，他毒打我之后把我丢在山坡上走了，他不要我，你来把我背回家去，我和你一起过日子吧”。

如同武侠小说里的“诱杀”情节一样，色胆包天的杜凤华在三家寨的山坡上看到了苏红。见苏红正蹲在地上哭泣，杜凤华想也不想就迎了上去，就在他弯腰准备背起苏红时，苏红猛地撒手，将攥在双手中的两把石灰撒向杜凤华的双眼。杜凤华倒地嚎叫，埋伏在周围的七八名吴家男子挥舞锄把、木棒，朝着杜凤华的身上一阵乱打。

次日清晨，有人发现了匍匐在地上的杜凤华。“西门庆”死了，腮嘎村4个家庭的当家男人因此进了监狱。

18. 被侵犯的纠结

2010年，戴庆成最终被捕。

4年的时间也没能冲淡缠绕着沈琴（化名）的噩梦，深夜时分，她总会莫名惊醒，满头大汗，汗水顺着脊背湿透衣衫。家住安徽省临泉县白庙镇某自然村的沈琴和村里150多户妇女一样，是一名普通的留守妇女。丈夫出外打工，沈琴在家种地，照顾上学的女儿，农闲时顺便在附近打打零工。作为留守妇女，家里除了老人孩子没有其他人，为了避免乡里说闲话，沈琴选择尽量少出门，每天晚上没事便早早睡觉。

2007年4月13日，沈琴像往日一样早早回到家，怀着对丈夫的思念很快入眠。深夜，一声异响惊醒了沈琴，她下意识地起身开灯。就在灯光亮起的一瞬间，沈琴惊见一把明晃晃的匕首横在眼前。手持匕首的是一名身高1.6米左右的蒙面男子。

“不许叫，出声就扎了你！”男子操着本地口音恶狠狠地说。男子的话把睡眼懵懂的沈琴吓蒙了。蒙面男子见沈琴没有反应即上前拉扯，把她往床上拽。沈琴这才反应过来，开始用尽力气反抗。慌乱的反抗中，沈琴手背、手臂被匕首划伤。

由于顾忌家中老人和小孩，沈琴不敢激烈动作，她怕过度刺激激起蒙面人性子，伤害家人。有了顾忌，沈琴的反抗渐渐落于下风，蒙面男子一步步逼近，眼看着就要把沈琴压到床上。这时隔壁院子养的看家狗开始大叫，蒙面男子略微分神，沈琴趁着这个机会猛然将蒙面男子一推，挣脱他的手大声呼救，邻居纷纷开灯。蒙面男子见行踪败露，惊慌失措地推开沈琴，顺手搜了沈琴家里的手机、锅等物品跃窗逃走。“你要敢声张，我下次来废了你！”蒙面男子在跳出窗外前扔下一句狠话。直到消失在黑夜中，吓呆了的沈琴才缓过神来，瘫坐在床边捂着受伤的手臂和腿哭了起来。从那一夜之后，沈琴开始噩梦不断——常常深夜惊醒，她害怕男子再次上门寻仇。

为保住名声，沈琴不敢报警，直到戴庆成东窗事发后办案人员上门才把遭遇说出来。

沈琴并非唯一的受害人，家住临泉县白庙镇卞庄行政村的49岁刘守茹（化名）也有类似遭遇。

2008年7月27日，刘守茹和女儿睡在客厅里，由于新房还没装修，屋内的门窗没安上。半夜，刘守茹察觉到动静，起身开灯，突然发现一把匕首亮在眼前。接着，刘守茹看到一名戴头套的男子。根据检察院起诉书和法院判决书后来的描述，蒙面人此时准备对刘守茹实施强奸。刘守茹害怕匪徒伤害自家女儿，激烈反抗，这时外面的动静打扰了蒙面男子，乘着蒙面男子分神，刘守茹大叫救命，邻居听到呼救后开灯，蒙面男子在抢得她的手机和家里的锅、手电筒后逃走。反抗过程中，刘守茹后背、腿被匕首划伤。次日，刘守茹到白庙派出所报案。刘守茹的报案，使这起持续十几年，受害者上百名的强奸大案浮出水面。

参与调查的临泉县公安局刑警们在走访中，听到了当地老乡们“这一带夜里不太平”的议论。前来办案的刑警敏感地察觉到，案件可能不是一起偶发强奸未遂、入室抢劫案。

我们赴当地调查得知，由于外出打工青年多，村内常年缺乏青壮年劳动力，中国传统的以亲情维系、以人口支撑的乡土自助和乡村安保体系面临奔溃。以刘守茹所在的白庙镇为例，白庙镇有57000多人，打工人口比例占40%，留守妇女儿童多，这个比例与临泉县的总体比例基本一致。从20世纪80年代开始，随着村中青壮年逐渐转移至外省打工，加上这里属于两省交界地，两地警方在管理上存在空白地带，村内的治安状况日益恶化。进入21世纪以来，这样外出务工大省的两省或多省交界处频繁出现恶性犯罪，其中以侵财为目的的入屋抢劫和以谋色为目的的强奸案件都有连环发展的趋势。

在刘守茹的案件中，警方排查得知，从刘守茹被侵犯的7月27日到8月13日，白庙镇又发生4起入室抢劫、强奸案。这个情况引起警方高度重视，迅速成立专案组进驻白庙。据专案组记录显示，专案组成立不久后，警方就破获了一起连环入室抢劫和强奸系列案，但作案10多起的凶手孙姓青年，拒不承认侵犯刘守茹一事是他所为。

随着警方排查深入，一晏姓青年也落网了，他交代了几起入室抢劫、强奸案，但坚称没有侵犯过刘守茹。两起系列强奸案和抢劫案破了，可刘守茹的案件却陷入僵局。1年多时间过去了，由于苦无线索，专案组的侦破工作没有进展。警方透露，当时警方从蒙面人的犯罪手法分析，对方手法娴熟，撤退迅速，应该是惯犯，可能还背有其他案件。警方一直不遗余力地朝这个方向侦破，可敢于现身的受害者太少，加上线索不足，侦破进展缓慢。

2009年冬，僵持的案件迎来了转机。阜阳市公安局将案件列为挂牌案件和2009年“冬防冬治”行动必破案件。此时，河南警方主动联系安徽临泉警方，与临泉比邻的河南沈丘县也发生了数起类似入室抢劫、强奸案。两地警方开始联手破案。2009年11月15日，安徽临泉、河南沈丘两地警方召开联席会，对案件的规律、特点进行串并，认为两地有7起案件可能是同一人所作。

犯罪嫌疑人的形象在警方的心里逐渐清晰：年龄在30至45岁，性格内向外表老实，一人作案，心理素质好但自制能力差；身体强壮，文化素质低；有一定反侦查意识，作案时戴头套，说明犯罪嫌疑人与受害人的住地距离不很远。

作案特征也开始明确。侵害目标固定，以留守妇女、小孩为目标，主要锁定房屋无院墙或房门夜晚不上锁的家庭。作案动机是入室抢劫，顺势强奸妇女。手段为逼、打、奸并用，抢劫、强奸、盗窃多罪并施。作案时间特定：约夜间10

时至次日凌晨4时。

经过大量的再次走访和排查，警方最终将嫌疑人锁定在临泉县鲖城镇三桥集的戴庆成身上。2010年1月29日，戴庆成在鲖城镇一亲戚家被控制。

在DNA证据面前，戴庆成承认侵害刘守茹的事实。出乎警方意料的是，戴庆成的事情远远没有完结。戴庆成的交代让警方大吃一惊：戴庆成曾犯下130多起抢劫、强奸案，其中100多起是抢劫、强奸（包括未遂）并施。法院最后的调查认定，1993年到2009年，戴庆成强奸妇女116人，其中未遂38人，抢劫91起（基本与强奸重合），盗窃23起，金额32945元 。戴庆成的辩护律师说，戴庆成一开始喜欢在人家里打麻将、玩牌后，摸点小东西走。后来看到很多家中都是留守妇女一人在家，于是起了色心。法院审理查明，戴庆成第一次作案是在1993年夏，在鲖城镇将一妇女强奸。此后，他多次将该妇女强奸，最后一次去时，男主人从外地回家了，用火药枪将他赶走。

根据戴庆成事后供认，随着多次作案得手，他胆子开始大了起来，甚至不作案就会犯心瘾。1997年12月一天夜里，他窜到邻村吴某家将其强奸，并抢走毛毯、被子等物……因屡屡得手，戴庆成的作案频率越来越高，其中自2008年7月27日之后，戴庆成又作案44起，仅刘守茹所在的行政村，他就去了10多次。不仅翻墙爬院，1997年和2008年，戴庆成还两次通过挖墙脚的方式入户作案。戴庆成案件中，受害者中有10多岁的女孩，有近60岁的妇女。

受害者无力反抗，在事后大多数选择沉默。

有专家分析，强奸案中，受害者顾虑大，有人会选择沉默应对，但对这起大规模的强奸案来说，沉默的受害者竟占大多数。即使是在戴庆成落网后，仍有很多受害者不愿谈及此事，更不愿出庭指证戴的罪行。

有名妇女遭侵犯后在电话里向丈夫哭诉，丈夫连夜回家，打了妻子一顿，然后返回打工地，再也不回家了。戴庆成归案后交代的100多起案件，警方大多数没有接到报案。

我们在临泉县白庙镇某村走访，村里的妇女对案件闭口不谈。

警方后来根据戴庆成的供述一一核查，有些人不愿承认。在安徽临泉与河南沈丘两县公安确定嫌疑人特征后，曾派人到两省接合部的六个乡镇走访、排查。有的人家去了好几遍，可遭遇侵害的留守妇女什么也不说。有人承认家中曾遭窃，但对性侵犯的问题，闭口不谈。

众多受害者中，2008年7月27日受侵犯的刘守茹是为数不多的报案者，她是同龄人中为数不多读过高中的人，当过会计，之前曾在大城市打过工。刘守茹的勇敢使这起深潜在当地长达17年的案子得以曝光。

19. 夫妻房建在工地——凑合着过

2012年春节将至，当许多外来务工人员忙着打点行囊返乡时，斗门坚士制锁有限公司工人潘胜却选择留在珠海过年。“妻子、孩子都住进了单位夫妻房，感觉这里就是自己的家。”潘胜幸福地说。为留住员工的心，公司多年前为员工建起了“夫妻房”，厂内已有700多对夫妻如潘胜一样，住上了夫妻房。“人人都说打工苦，哪知‘相思’更苦。我们什么苦都能受，唯有相思受不了。一个人留守在家的时候，两人隔着电话相思，现在见到了面，却无法团聚，不知道什么时候能在一起。”王彦成想起没有夫妻房的日子，喃喃地说。

1998年，湖南人王彦成放弃了家乡一份收入很不错的工作，来到广州番禺区大石街道某电子厂打工。留守在家的妻子，如果不是为了和远在广东打工的王彦成团聚，也许永远不会到广州找他的。工厂管理严，活儿多常常加班，王彦成只能每年春节回一次家，可每次不到年初八又匆匆离家。每年盼望丈夫回家过年团聚的妻子无法忍受这份相思，甚至萌发南下打工的念头。

2001年，王彦成留守在家的妻子南下广州，在番禺一家外资制衣厂打短工。王彦成辞去工作，打算在妻子工作的工厂附近找份工，然后再租间房和妻子双宿双飞。后来，在老乡的帮助下王彦成在距离妻子公司几十里远的大石找到一份工作。那时候，每天一下班，王彦成会骑半小时单车往妻子那边赶，妻子天天加班每天工作到晚上11点才能下班，王彦成只好站在门外等。等到妻子出来了，又担心女工宿舍关门，只好和妻子坐在路边说说话，拥抱、亲吻，然后匆匆分开。

无法团聚的两人，只能选择做“周末夫妻”，每到星期天，王彦成早早地用单车把妻子接回自己的宿舍，同宿舍的工友们见状都会识趣地离开宿舍，临走时，工友们还不忘跟他开个玩笑：好好干吧多换几个招式，我们决不打扰。

工友们离开，夫妻尽情享受“性福”。虽然那时候像做贼一样，两个人还是很“享受”。工友们一离开，王彦成和妻子马上就会收起久别重逢的羞涩，第一时间主动投入，释放久未释放的激情。由于激情浓烈，导致每次完事后，王彦成的妻子都会抱怨他不懂浪漫和怜香惜玉，搞得她“散架了”。“工友们也不容易，有时天气冷，还要出去逛两个小时，我们要抓紧时间”，王彦成说。工友们不在宿舍只是一个幌子，其实两个人有时的动静甚至很容易传到宿舍外，但顾不了那么多。

在广东东莞石龙镇附近有一片著名的芭蕉林，每当下班后，芭蕉林外的道路上总能看到手拉着手，身贴着身走在一起的夫妻情侣，每当夜幕降临，手拉着手的一双双身影就会隐入芭蕉林，在昏暗夜色和芭蕉林的掩护下，两个饥渴的身躯重合在一起，芭蕉林外只听见一阵阵低沉又暧昧的声响。

林毅是河北人，南下打工已经3年，留守在家的妻子为寻求安慰，随他而来。找工时，邹贵被某电子厂录用，妻子被10多公里外的玩具厂录用。由于双方都住集体宿舍，一到周末宿舍里全是人，两人只好到厂外约会。看到许多拍拖男女都躲在昏暗树林里幽会，邹贵和妻子也加入了这个行列，每天晚饭后到事先约好的地方约会。

说到芭蕉林，虽然时光已经过去10年，林毅依然感到心痛。对林毅和妻子来说，芭蕉林冬冷夏热，最让他们受不了的是南方夏日四处乱飞的蚊虫，常常一个晚上下来，腿上会隆起十几个包。肆意叮咬的蚊虫挡不住夫妻的热情，每天晚饭后夫妻早早到事先约好的地方约会。热情总是受环境影响。芭蕉林不隔音，虽有夜色掩护但不能有太大动静。为了不被人发现，林毅夫妇总是不敢尝试过多的姿势，选用保守的方式，草草开始，草草了事。

更让人担忧的是芭蕉林的安全。林毅说，由于太偏僻，一些林子发现过偷窥者，甚至常有保安巡查。更让人担心的是，芭蕉林一些昏暗地方曾有不少情侣遭遇过抢劫。“听说还把女的给强奸了”，林毅谈起这些事，唏嘘不已。

在持续数个星期的“地下生活”后，妻子终于忍受不住芭蕉林恶劣的环境，提出要回家。芭蕉林从此成为林毅心头永远的痛。

除了宿舍和芭蕉林，为了解决性问题，打工老公还会带着前来探望的老婆躲进录像厅。

陈伟是湖北人，由于常年不在家，留守在家的妻子忍不住寂寞上来看他，为了能住在一起，两人省吃俭用在工厂附近租了一间旧平房。出租屋附近人员复杂，时常发生偷鸡摸狗的事情。哪料才租了三天，两夫妻就发现房内进了贼，屋里的东西都被偷空了，皮箱也给割烂了，幸好两人将钱都存到银行里，存折又在身上，损失不是太大。为避免以后再招贼，两人索性决定不给这个“家”添置任何东西，只祈求小偷别把床搬走就行。

想不到，事隔半个月家里又被抢了。那天晚上，两人被敲门声吵醒，只听到门外有人喊“开门，查房”，陈伟以为是治保会检查便打开了门，想不到进来的却是一伙打劫的人，大概这伙人已事先知道那天是夫妻二人发工资的日子，将两人还没来得及存进银行的1000多元全搜走了。一个月未到，两人被偷又被抢，心惊胆战的陈刚只好和妻子搬回各自的工厂宿舍住。

由于年轻、精力旺盛，两夫妻千方百计找地方“亲热”，郊外的芭蕉林、河堤的草丛中都见过两人的身影。有一次不知是谁报的案，两人正在草丛中“亲热”时被几名治安员逮个正着，还带到了治保会。直到第二天，工厂来人证明两人是合法夫妻，才被放了回来。后来，他们又找到了一个新去处——通宵录像场。每次只要想“亲热”了，陈伟就和妻子花上八九元钱到录像厅，躺在情侣包厢内一边看录像一边亲热，一个晚上都不会有人来打扰。冬天，录像厅老板为了多拉顾客，半夜还给情侣们发棉被，录像厅老板称“绝不会有人来查的”。

湖北男青年陈辉与广东妹陈宝花是一对结婚两年多的小夫妻，同在深圳打工，陈辉在石岩跑销售，陈宝花在福永的工厂工作。这对只有周末才能回到工厂给他们分的一间“夫妻房”里相聚的小夫妻，在深圳品味着“周末夫妻”的别样滋味。

星期五下午5时左右，石岩街道青雅居花园某塑机公司深圳办事处的大堂里，27岁的销售业务员陈辉对着展厅的玻璃认真地梳理头上的短发，眼睛不时地瞄着主管办公室的铝合金门。

“一个星期没见老婆，心急火燎了吧？”同事小谭在一旁暧昧地揶揄他。看着主管离去，陈辉急匆匆地奔向公司门前的公交站台。“这里到福永要两个小时的车程，先坐651路大巴，到机场附近再转752路中巴车。”陈辉告诉我们，他是湖北黄冈人，2001年来到深圳打工，在一家日用制品厂认识了现在的妻子陈宝花，2006年初结婚后陈宝花来到福永大洋工业区，工厂给他们分了一间“夫妻房”，于是两人过上了“周末夫妻”的生活。

“福永的家还真是一个休憩的港湾！”陈辉颇为感慨地说，搞销售每天早出晚归、压力很大，从星期一忙到星期五，还要看别人的白眼，所以一到周末就想回到自己的“小巢”。

“周末就是下冰雹也要回去！”陈辉告诉我们，2012年3月初的一个周末，他到东莞推销产品，回到公司已经是晚上9点多了，没坐上公交大巴，他走了几公里路，最后搭上了一辆摩托车才回到家，虽然已是深夜11点多钟，但老婆还是像往常一样在宿舍门口等着。

经过两个多小时的公交车颠簸，陈辉顺利地回到了福永大洋工业区宿舍的门前，早已下班的妻子陈宝花已经在门口眺望了好一段时间。小两口热情地拥抱一下后，手牵着手来到宿舍附近“福乐超市”隔壁的一个小型露天菜市场。经过一番激烈的讨价还价，夫妻俩提着半斤猪肉、一条鲫鱼和一捆蔬菜相互搂着返回到大洋工业区的宿舍。

小两口的“夫妻房”位于工业区北侧宿舍楼的六楼，大约30平方米，里面有厨房和卫生间。“有这个房间我们已经很满足了！”陈宝花说，她刚来到深圳的时候，20多个同事挤在同样大小的房间里，经常是连自己的鞋子都找不到了。说话间，陈辉已经麻利地切好了猪肉、剥好了鲫鱼，陈宝花端起电饭煲下米煮饭。30分钟不到，房间里就弥漫着一股米饭和鱼肉的清香，小餐桌上放着两荤一素和一煲汤。“吃完晚饭后两人就到宿舍楼下走走，肯定不会走远。小别胜新婚啦！”陈辉神色坏坏地说，妻子陈宝花的脸上泛起一片红晕。

时过境迁，芭蕉林、录像厅都是20世纪至21世纪初期的打工者和妻子不得不说的故事。从2003年以来，各地工地都广泛拓展夫妻房，一解夫妻之间那点事儿的难处。2012年冬日的一天，我们来到斗门潘胜“家”时，只见妻子小英早早就在房间外贴上了春联。这些习俗不能丢啊，虽然夫妻房不大，却是咱们的家。小英乐呵呵地说。

大约35平方米的房间内，有电视、空调，有独立的卫生间，还有小厨房。潘胜说，房内的设施都是公司免费配的，工人只需交纳水电费。小英说，他们一家三口已不是头一次在厂里过节了，愿意留守主要因为既能省路费，一家人也可守在一起。

像潘胜一样留在厂里过年的外来工每年都达千余人，他们大多是成了家的工人，同样住上了夫妻房。潘胜坦言，他和妻子6年来一直没离开公司，主要还是看中公司的人性化管理，能在厂里安家，工作就更安心了。正因为企业打出“亲情牌”，公司多年来都没遇过“用工荒”。据统计，公司1800人中，有1300多工人属外来务工人员，其中夫妻档就有700多对，在厂内生活的孩子已达170名，每年流失的人员很少很少。

20. “七夕”：大学生请开房

“七夕”，人称中国情人节，有情人团聚的日子。每年的这一天街头巷尾，网上网下，到处弥漫着商业化的暧昧味道。

2012年，河南郑州的12名大学生，出资订宾馆帮助农民工夫妻度“七夕”，他们在网上发帖征集到200对农民工夫妻，后从中选出38对农民工夫妻“七夕”在郑州团聚。

就在“七夕”前两天，在郑州农业路与文化路交叉口一建筑工地做瓦工的汪国营给老家打了个电话。电话是河南鲁山县观音寺乡石坡头村的薛小妮接的。汪国营告诉薛小妮，他们夫妻俩人和其他37位受助夫妻一样，可以在“七夕”当晚免费住宾馆团聚。

薛小妮一开始半信半疑，在汪国营的多次劝说下才接受了这个事实。隔天早上，薛小妮早早起了床，翻找出压在箱底的结婚证，再一次向70岁的婆婆交代好家中的事——猪要记住喂，鸡窝要关牢，然后她带着一丝兴奋和憧憬赶往郑州。这是薛小妮第一次去郑州，她已经半年没见到自己的老公了。

石坡头村到郑州的路并不好走，薛小妮先花6元钱从家坐车到鲁山县城，再花40元转车到郑州，一路辗转，当薛小妮到达火车站附近的亲戚家时，已经是下午2点了。一路赶来，又饥又渴的薛小妮对城市里的交通不太习惯："红绿灯真多，一会儿一停。"她随身背的一个花包内，除了结婚证和她与老公的身份证，还有一条皱巴巴的毛巾。同样在期盼相聚的汪国营，头一天没能抽出时间与老婆相见。汪国营说，由于工地没有地方住，只能等团聚当天在宾馆见了。

在郑州一处在建住宅楼的23楼，汪国营与另外两名同乡正搭班干活，工资是按各自砌墙的面积结算，"20多公斤的大砖一天要砌50多块儿，一天能挣100多元，但很累，晚上下班浑身像散架一样难受"，汪国营说。

汪国营与工友同住在工地正建的住宅楼内，十块水泥砖支起一张狭窄的床板，20元一台的小风扇吊在床头，这是他使用的唯一电器，几件破旧的工作服挂在墙上露出的钢筋上，"明天晚上带宾馆去，让老婆给洗洗，裤裆也烂了，得缝缝"，汪国营对"七夕"晚上与妻子的相逢同样充满期待。

2012年"七夕"前夕，网上一篇名为"'架起爱心鹊桥——七夕农民工夫妻会'的倡议书"的帖子十分火热。发帖人自我介绍说是来自郑州一所大学的12名大学生，暑假期间在建筑工地打工，深感农民工的艰辛和夫妻分离之苦，想用自己赚的1.2万元钱为农民工预订酒店，让农民工夫妻能够在“七夕”这一天团聚。

这12名学生来自郑州交通职业学院，都是“90后”。活动主要策划人是王旭辉和付云鹏，他们说，由于12人中的大部分人学的是建筑工程专业，暑假实习一般都在建筑工地，“与农民工有了近距离的接触”。

1992年出生的付云鹏坦称自己之前从未近距离接触过农民工。据他回忆，“大部分农民工住在帐篷里，里面很乱，有时候下雨还漏水，衣服都发霉了”。只是在媒体上看到过报道，那时候觉得没什么，付云鹏说，可真等自己跟他们深入接触后，才发现他们的生活真的是太苦了。付云鹏在郑州新东站附近的一家建筑工地干了整整一个月，赚了1600元钱，他从事的工种是安全检查员，跟着叔叔一起负责检查工地上的安全措施。

8月12日，新学期开学的日子。回到学校后，付云鹏与同学一起商量，想为农民工做点什么。这些学生大多数是农家子弟，不少家人都在建筑工地上打工，学生们感觉农民工“就像自己的家人”。

付云鹏拿出自己的1600元钱，作为“启动资金”，并和同学王旭辉一起分头找人“入伙”，后来10名也在建筑工地打工挣了一点点钱的同学都参与了，他们共筹得1.2万元。

付云鹏他们的目标是满足200个农民工家庭的团聚需求。“毕竟资金有限，我们只能承受60元一间的客房，但我们找了很多家酒店，都没有同意给我们低价。”付云鹏无奈地说。

与此同时，付云鹏在网上公布了报名方式，希望农民工能够积极报名。等了三天三夜，仍旧没有农民工主动联系他们。一位在郑州某建筑工地打工的农民工说，他并不知道大学生的这份倡议书，并说由于工作繁忙，已经习惯了工地生活，不好意思参与这样的“浪漫活动”。

“我们的宣传渠道太单一，农民工又很少上网，不知道这个消息。”对于这种结果，付云鹏等人想好了对策：12位同学趁这个周末分头去郑州的建筑工地，接受农民工“面对面报名”。

12名大学生的举动，在网上引发了热议，许多网友对这一活动赞赏有加。

网友“穷庐主人”对学生们的做法非常感动，“如何让城市真正成为在这里务工的农民的家，如何让务工农民在城市里找回归属感，这依旧是一个重要的社会问题，我们可爱的大学生用这个方式让我们忽然想起城市里还有这么一个群体。但愿明年的七夕，他们不用再用这样的方式让我们想起这个群体”。

也有人认为此举或许是作秀。对此，付云鹏说：“农民工很辛苦，为他们做点事情是很正常的，我们倒希望越来越多的人加入到‘作秀’的行列中来。即使有人反对，我们也要坚持做下去。”

于建嵘（中国社会科学院农村社会问题研究中心主任、教授）说，大学生关注农民工过“七夕”，反映出整个社会对农民工关注的多方面缺失。于建嵘说，此前在广东调研时就发现，很多农民工常年夫妻两地分居，即便有双方都在一个工地上工作的，由于住房等原因也无法过正常夫妻生活，“他们有的在公园里像做贼一样偷偷摸摸，有些趁工友外出那一小会儿‘草草完事’”。

第六篇　姐妹们，拉起手来！

21. “留守妇女互助组”，助力什么？

数千万忍受孤独、承受压力的留守妇女，改变或者改善她们目前现状的破冰点在哪里？

截至2012年7月，有22万余支“留守妇女互助组”活跃在全国各地村庄的田间地头、家庭院坝，她们在“生产上互帮、生活上互助、情感上互慰、安全上互保”，成为新农村建设和农户增收的重要力量，也成了留守妇女的组织依靠。

2012年2月中旬的一天，在重庆云阳县巴阳镇阳坪村紧靠公路边的一片枇杷树林里，十来个农妇正凑在一起给果树疏花修枝。果树主人向光珍笑着说：“多亏了互助组的姐妹们，有了这么多帮手，农活儿的担子卸了一大半。”

向光珍的丈夫和儿子都在外务工，父子俩见她长年累月在家种植3亩多果树，既要管护又要销售，还开了一个“果家乐”，担心她累垮身体，都劝她别干了，可向光珍不干。可面积广、农活重、科技含量高又是她不得不面对的难题，如果不把握好时间来除草、施肥等，就会影响枇杷的质量和产量，收入也会大受影响。去年6月，得知妇联组织在开展“留守妇女互助组”活动后，向光珍便主动带领本村25名妇女成立了枇杷柑橘互助组。此后在每季水果管理期，谁家忙不过来，大家就主动帮助施肥、疏花疏果，在水果成熟期又帮着摘果卖果。

“有力的出力，有技术的出技术。我们已改良优质枇杷达30多亩。经过批准大家集体到公路旁边摆摊销售水果，再也不用肩挑背磨到集镇去了，省时省力卖得好，收入也高了。”在路边卖脐橙的刘美菊说。

对于綦江永城镇中华村的王显梅来说，互助组不仅能减轻劳动负担，还能节约生产成本。她算了一笔账：“家里的男人长年在外打工。每到农忙，就算没日没夜地在田里干活，一天还是连半亩稻苗都栽不完。我们互助组6名留守妇女走到一起：留一个人在家负责做饭和照顾6家的孩子，其余5人一起下地干活，各家的农活安排好顺序，轮流干。一人在家种两亩稻，栽秧、挑稻根本忙不过来，如果请人干，一个人一天70元，外加中午和晚上的两餐饭，一天至少要花100多元。而现在，6个人一起做，说说笑笑，两亩稻不到一天就能栽完。”

有了互助组，解除了外出务工人员的后顾之忧，既节省了请劳力大笔的开支，又解决了农忙时节缺劳力的问题。慢慢的，“留守妇女互助组”已从初时单纯的农业生产互助，发展到能全面解决留守妇女在生产发展、生活安居、子女教育、关系协调等方方面面的问题。

2012年，正月十五刚过，云阳县黄石镇中湾村“贴心嫂子”互助组的十几个人又来到朱厚央老人的家里，有的帮着给荤葱除草，有的帮忙捆柴，还有的在搓汤圆煮汤圆。

70岁的朱厚英家里特别困难。老伴十年前去世，朱厚英一个人既要照顾脑瘫的女儿，又要种庄稼维持生活，地里种的荤葱因缺劳力不能及时挖了拿去卖，长期烂在地里；柑橘也没人管理，收成不好，一年到头，自己从没有好好休息过。

组员蒲小林说：“自去年5月互助组成立后，大家除了每周轮流到朱厚英家中帮助照顾她女儿、打扫卫生外，还每月一起去为她种植的荤葱除草、浇水、松土，每到卖荤葱的时节，就在赶集的前一天下午去帮她挖葱、洗葱，在柑橘刚开始挂果时，还帮她为柑橘施肥、打农药，并帮助她摘卖柑橘。”

现在，朱厚英也有休息时间了，经常与周围的邻居们在一起聊聊天，邻里之间的感情变得更加深了。

“从‘顾自家’变为‘帮大家’，留守的日子不再那么苦了。”云阳县妇联主席陈寒梅说，留守妇女通过互助组，能相互倾诉、互为依赖，真正让广大留守妇女不用再独自撑起“半边天”。

越来越多的留守妇女加入到互助组。来自全国妇联的信息说，留守妇女一般按照“地域相邻、产业相近、兴趣相投、感情相通”的原则，自愿组成各种互助组。其中有的以专业合作社为依托，把从事同一产业的留守妇女联合起来，通过互助解决在生产中的劳动力短缺、资金不足等难题，实现技术、信息、资源共享，带动留守妇女增收致富；有的以村妇代会干部、妇女代表、巾帼志愿者、女大户、女能人等为骨干，与留守妇女结成帮扶小组，帮助留守妇女发展生产、改善生活；有的是以兴趣爱好为桥梁，组建坝坝舞队、锣鼓队等。

2012年的夏天，全国妇联组织正在引导越来越多的留守妇女加入到互助组中来，在互帮互助中心手相连。

22. “返乡潮”消化“留守”

安徽省含山农村出现返乡潮，“留守妇女”减少两成，“留守妇女互助小组”从1105个减少到874个。

含山县清溪镇太平村村民凌梅梅以前是个地地道道的“留守妇女”，丈夫张宏学常年在江苏省常州市当瓦匠，靠给建筑工地打零工挣钱，只有农忙时才回家几天。去年夏天开始，张宏学却回到家中，给妻子凌梅梅“打工”。

2006年，“留守妇女”凌梅梅发现仅靠种田难以改变困难的生活，丈夫在外打工收入也不稳定，她下决心养几头猪试试。在村里其他“留守妇女”的帮助下，她很快就把猪圈盖好了，养了10多头猪仔，后来越做越大，如今已发展成饲养母猪、繁育仔猪的规模化养殖场，年出栏生猪200多头、毛收入30多万元。张宏学看到妻子忙得非常辛苦，收入还非常可观，放弃在外打工回到家中。一个“留守妇女”就此被回来的丈夫“消化”了。

含山县妇联统计，2011年初，该县农村有“留守妇女”

2万多名，农村“留守妇女互助小组”1105个。尽管“互助小组”在促进“留守妇女”生产上互助、精神上互慰、安全上互帮、育子经验上互享，有效解决了生产生活中的困难，但问题并没有因此根本解决。

仙踪镇“留守妇女”有种植冬草莓的传统，2010年，县里为每户提供4万元两年期小额无息担保贷款，2011年为新种植的10户提供每户5万元的两年期小额无息担保贷款。3年来，县里共为仙踪镇168户“留守妇女”提供创业小额无息担保贷款931万元，解决“留守妇女”资金发展瓶颈问题。

清溪镇青横村村民张晓燕曾经也是一名“留守妇女”，如今她成为镇上华侨橡塑有限公司一条生产线的负责人，丈夫也从无锡回来后到镇上的一家除尘设备安装公司上班。夫妻两人早晨一道上班，晚上回家照顾两个孩子，其乐融融。

2012年6月最新统计，该县现有农村“留守妇女”1.6万人，较上年减少两成以上，“互助小组”从1105个减少到874个。

在贵州省政协十届四次会议上，喻培萱委员在提案中建议，让农民工和城镇职工一样享受“探亲假”，并尽快立法试点。

通过调查，喻培萱发现，家庭残缺、生活压力大、劳动强度大、精神生活匮乏、安全感缺乏、生活质量与幸福指数低等，都是留守妇女面临的实际困难，而造成农村留守妇女种种问题的一个重要原因是，她们与丈夫真正交流的时间太少。

“让在外务工的农民工每年都有探亲假，是缓解农村留守妇女问题的一个好途径。”喻培萱分析说，农民工回家过年和专门回家探亲的心情是不一样的，过年基本上是“走亲戚、看热闹”，而“探亲”则可以更多地帮助妻子进行生产劳动，减轻农村留守妇女的重体力负担，增进夫妻感情，稳定家庭，同时农民工可以把在城市里学到的新理念、新知识带回家，改善“只顾温饱”的留守儿童教育等。

喻培萱注意到，“探亲假”在可操作性上面临着巨大挑战，“一些民营企业的白领都不敢随便请‘探亲假’，害怕休假回来岗位被别人顶替了，更不用说农民工了”，喻培萱说。他希望农民工“探亲假”能在地方性立法中先行试点，一些经济效益好、社会责任感强的大型企业尝试推行，使农民工更多地享受公平待遇。

丈夫外出务工，留守妇女既要承担农活，又要料理家务，有的还要照顾年迈的老人，教育未成年的孩子，劳动强度明显增加。我们在辉县的一次调查中发现，大部分留守妇女每人需要独立耕种近5亩农田，有的为了增加收入甚至要耕种10亩。近半留守妇女的健康问题堪忧。长期的体力劳动、超负荷的劳动量让留守妇女们未老先衰。

在一份对24个行政村1200位留守妇女进行调研的报告显示，农村留守妇女和农村非留守妇女对生理健康状况存在较大的差异。留守妇女中，近一个月经常感到身体有不同程度疼痛感的达27%，比非留守妇女多近一成。其他感到不适的身体指标也比非留守妇女高。同时，留守妇女对自身身体状况的担心高于非留守妇女近8个百分点。留守妇女比非留守妇女更倾向认为自己的身体状况不及同龄女性。

还有调查显示，丈夫外出务工，洗衣做饭、赡养老人、抚养孩子等繁琐的家务全落在留守妇女的身上，柔弱的肩膀承受的是双重重担，严重损害了她们身体健康。

农村留守妇女慢性病、营养性疾病增多。妇科疾病增多。2008年贵州省贵阳市农村妇女病普查普治情况表明，农村妇女疾病检出率高达30％以上，阴道炎、宫颈炎、乳腺增生、子宫肌瘤、盆腔炎等发病率较高。节育知识匮乏，导致返乡高峰之后出现流产高峰的情况。

随着农忙和家务两种压力，不少农村妇女出现身体健康和心理压力问题，不堪重负的她们走向极端的案例屡屡发生。全国有4700万留守妇女，安徽就有700万人，占据了其中的大部分。

第三部

留守老人：进门的灯，出门的锁

农村青壮年外出打工，留下的空巢老人还艰难照顾着留守的孩子。离开，还是留下，这是个难题，也需要选择。

对多数进城务工人员来说，什么都可以将就，可孩子的教育马虎不得。最理想的选择当然是带着孩子进城，并在城市接受教育，但要达到这一境界需要跨越的“坎”太多太高了。于是，很多父母们只能选择让孩子留在家乡成为“留守儿童”，由爷爷奶奶（外公外婆）照顾着孩子们的起居，家庭教育也由隔代长辈来完成。年长者抚养照顾年幼的，在人口流动的现实中，无法抗拒，成为典型的“无奈负担”。

在农村留守老人中有90%都伴随不同程度的孤独感，既盼着儿女们回来，又担心他们待在身边守穷；既要担心孙辈的安全，又要自己照顾自己的身体。矛盾的心情交织在一起，让留守老人们难以清净一回。他们在领取儿女们寄回的钞票虽感到一丝欣慰，但更希望得到是远方亲人精神的赡养。

老人的 “空巢综合征”出现了。有人将“空巢综合征”解释为，老年人在子女成家立业独立生活后，由于适应不良出现的一种综合性症状，是一种心理危机，容易对生活不满，产生沮丧、失望、抑郁、焦虑等情绪。这其中还包括话在嘴边却说不出口的“性生活”。

一个月、数月乃至一年数载不过性生活，不像长时间不喝水不吃饭那样，会“渴”死“饿”死，但性饥渴、性压抑同样叫人“渴”得难受、“饿”得发疯。85岁的老人嫖娼，很容易讥为“老不正经”、“ 老不要脸”，但从纯生理角度看，或许不足为怪。

第七篇　空心村庄，寂静的守候

23. 村里的年轻人，都走了

稼贤村是湖南省凤凰县山江镇最大的苗族村子，有3个寨子，1000多口人。

老人们太老，孩子们太小。最大的苗族寨子正面临着从没有过的“人口危机”，假如有人去世，要凑齐几个有力气的人，把逝者抬出去埋葬，得到其他寨子求助。过去，967亩水田和180亩旱地，成为村里人的生存依靠，他们总觉得人多地少。要是能多些地耕种就好了。如今很多地被撂荒，可以随便种却无人愿意耕种，更准确地说是无力耕种。

这是“人口危机”，更是年轻人的危机。10多年以前，保护村庄的治安联防队都是30岁左右的小伙子组成。但现在，50多名队员都在50岁上下，有些已经抱上了孙子——其实，保护村庄这件事更应由他们的儿辈来干。最终，看家护院的责任，落到了犬类身上，稼贤村中的狗较原来多了起来。从前村养狗的人家屈指可数，现在村子里有两三百条狗。狗可以看家护院，但散养起来也会威胁过路之人的安全。龙汉涛每次到学生家中家访时，都会随手拎起一根打狗棍，以策安全。

狗的数量与出外谋生的村民人数都在上升。原本兴旺的牛和猪的种群则衰落了——再也没有足够的人力像从前那样饲养大的家畜。稼贤村是一个几乎不存在威胁的地方：这里的人要么还没长大，要么已经老了。

在稼贤村，晚上八九点钟家家户户就已门窗紧闭，没有谈天没有消遣都上床睡觉，进入了睡眠时间。灯光熄灭，村庄融入到黑夜中。醒来，又是新的一天。

村里人承认，打工者带回的人民币让稼贤村的经济生活变好了。但这个村子从前热气腾腾的日子算是一去不返了。苗家的舞狮子、打花鼓，还有那被誉为“穿在身上的百科全书”的苗家服饰，渐渐远离了这些传说中蚩尤的后人。人们隔山相望，对唱苗歌的场景难得一见了。在坡上干活时，龙汉涛听到的，“都是鸟叫和风呼呼的声音”。

不仅是稼贤村。浙江金华山下鲍村，是一个距离县城68公里的行政村，200多户农户，常年在外的有110多户。在这个村子里，有两个小超市。村民老涂在村子里开了其中一家超市，门面虽不大，但货物种类挺齐全，小超市只能勉强度日。村里年轻人太少，老年人又缺乏消费能力，最受欢迎的是2元一包的低档烟。“野猪越来越多，再这样下去，我们连田地都种不下去了，你说我们该怎么办？”山下鲍村村民这样抱怨。山下鲍村原有615亩山田，后因青年人都外出野猪又很猖狂已有超过一半的山田被迫抛荒。

人少的时候，野猪也会欺负人。山下鲍村依山而建，大部分村民的田地是山地，距离村庄有五六公里路。“以前野猪还只是糟蹋离村子远一点的庄稼，这两年野猪越来越猖獗了，经常三五成群地结伴而来，就连村民房前屋后的菜地也不放过”，很多人一想到这事就气不打一处来。

在山下鲍村，大批素质好、有能力的青壮年村民外出打工，村里的干部甚至找不到“年龄合适”的人当。

24. 9个人的杨集庵村

供职于《潍坊日报》，同时也是新华社签约摄影师的孙树宝，是一位“80后”，对摄影有着狂热爱好，他可以为一个摄影题材几个月连续跟进拍摄，即使花费多一些也在所不惜。到杨集庵村拍摄也是如此。从2011年3月初，他第一次走进潍坊的这个村子，2013年春节，他至少到过杨集庵村十几次。

杨集庵村是山东省潍坊市青州庙子镇的一个自然村，行政划分上属于单家峪村。单家峪村共有三个自然村——杨集庵、里单家峪和外单家峪，杨集庵的南面是大南寨、北倚峰山顶两座大山，海拔约800米，在三个自然村中地势最高，常住人口最多。

即使这个常住人口最多的村子，常住者也只有9个人。这是在中国人口流动的大背景下，一个村庄留守老人生活的缩影。2013年春节期间，春寒料峭，我们来到了杨家庵村。

从潍坊市中心到杨家庵村，自驾驱车约有两个小时的车程，如果搭乘班车，就颇费周折了——因为它根本就没开通客运班车。2013年2月份，我们从潍坊驱车出发，前往杨集庵村。同行中孙在前、孙树宝和李葆春是当地义工，孙在前是山东社区义工（潍坊）联合会的主席，也是联合会的发起人，他在工作之余把大部分精力用在了社区义工工作上。

对孙在前、孙树宝和李葆春三人来说，这是个熟悉得不能再熟悉的地方。从2011年开始，他们几十次来到这里，为村子奔走建诊所，同时组织每月一次的义诊，以及节日期间的探望。几位义工最近的一次探访是在2012年的腊月二十三，在北方的小年这天，他们要到杨集庵村与村民过节，当天山东突降大雪，但为了不爽约，他们毅然带上年货出发。在离村十几里地外，车辆无法前行，他们踩雪十几里地步行上山。

从城区到杨集庵村，要经过杨集。从杨集往南1公里西行，再走2公里多仅能容下一辆三轮车、且满是碎石和杂草、曲折又陡峭的山路，便到了地处半山腰的里单家峪村。里家峪村妇女主任李荣霞说，他在城里工作的儿子回家，一般是开车到杨集，然后再借一辆破旧面包车开着回家。开小轿车走这样的路，实在让人心疼。

我们首先来到里单家峪村，到杨集庵村必须经过里单家峪村。三个自然村中，杨集庵地势最为险要。虽然从里单家峪村进入杨集庵村有一条山路，但极为狭窄，仅容一辆车通行，严格来说这是一个几乎没有正规路可到达的小村。在里单家峪村，积雪刚刚融化，道路泥泞，安全起见车辆已无法再在路上行驶，我们只好选择步行。山是石山，静寂如夜。空气清新，山路蜿蜒，因多年行走，山路上很多石块已出现风化，稍不小心，原本完好的石块就会碎裂，脚下也容易打滑。

入村的路共有两条，形成了一个“S”形。盘山路蛇行而进，形成一个又一个的“S”，走起来更耗费时间。村民们长期踩踏形成的一条山脊小道则穿越“S”，沿其纵轴形成一条直道，小道行走起来很困难，但因为路途要近很多，能节省时间，备受杨集庵村民们青睐。如果从盘山路往下走到山下的杨集村赶集，走盘山路要走14里，而走山脊上的小道儿，只有8里路。

当年第一次来到杨集庵村，孙树宝看到的是让他难以相信的情景，这里的老人们过着近乎与世隔绝的生活。本已完成拍摄任务的他，总觉得还没有深入到这个村子，于是几天后他再次来到杨集庵村。这次，正赶上村民们割麦子，孙树宝也跟着帮了半天忙。因雨水不足，麦子高度不到20公分，无法使用镰刀收割，只能弯腰直接从地里拔出来。彭先收老人一天劳动下来，腰酸背痛，老伴李守英拿出仅有的膏药给他贴在后背上，同时半开玩笑半当真地说要是这贴膏药贴上还不好那就要挺着了，到赶集的时候才能再去买。这一席话，让孙树宝产生了为村民们建一个诊所的想法。

说起来容易做起来难。孙树宝与孙在前商量，刚好一个企业家愿意资助建诊所，诊所最后选择在村里的场院处，这也是村子最平坦的地方。诊所建好了，可没有医生！最后孙树宝他们决定每月的最后一个周末，到村里为村民免费义诊，而且要一直坚持下去。

我们来到村里时，首先感受到的是寂静和狭窄。村中的路没有一条宽度超过1米的，十多处修建时间不一的石屋，有三四处已经坍塌。村子里的人都快走光了，房顶塌了的，已经很长时间不住人了。如果没有外人驱车而来，除了鸟虫鸣叫，和偶尔传来的几声狗吠，这里寂静一片。2011年，孙树宝来到杨集庵村时，这里的黎明甚至没有鸡鸣，因为当时村中唯一的一只公鸡，在春节的时候已成了下酒菜。深山静寂，杨集庵早晨来得悄无声息，夜晚的到来也是悄无声息。一个又一个平凡的白天与黑夜交替变化间，坚守在此的村民成为杨集庵最后的守望者。

在我们赶赴杨集庵之前，网上已有不少关于它的讲述，内容一部分来自媒体报道，相当部分来自“驴友”。一年又一年，来村里探险的人多了，在村里居住的人却越来越少了。

李荣霞告诉我们，杨集庵村现在只剩下9个人了，有3个光棍，小的40多岁，大的60多岁，其余的都是老人了，小的70岁，大的82岁。2012年，一位老太太过世，让这个本有10个人村子的常住人口数量首次下降到个位数。

其他两个村子情况也大致如此。里单家峪的常住人口有3户6口人，外单家峪常住人口是3户6口人。

但几个村的户籍人口远不止这些。外单家峪户籍人口18

人，杨集庵户籍人口是24人。里单家峪是个自然村，与外单家峪、杨集庵同属一个行政村。2013年春节时，里单家峪的户籍人口是18人，因为地处偏远，交通不便，村民大都在外打工或外出陪着孩子上学。村里的100多间房子大都闲置着，有的已经因为年久失修倒塌，甚至有的建好后就从来没住过。30多年前，里单家峪的人口一度达到80多人。

王立武是单家峪村的党支部书记，同时也是村主任、民兵连连长、护林员、团支部书记、会计、文书。一个人的村党支部和村委会，事务自然繁多，然而王立武在村里待的时间也有限。他与两个儿子住在青州城里，他做村支书每月有六七百元的收入，在处理完村中的事务之后，他在青州一家市政公司做一份开车的工作，以此贴补家用。

1973年到1974年是全村人口最旺的时候，三个村子加起来有超过300口人，其中杨集庵人最多，有130多口，30多年过去，村里的人口骤然减少了这么多，有“空村”的危险，若不是几个年老体弱的留下来，“村子就算没了”。

单家峪三个自然村共有耕地100多亩，这些地全是靠天吃饭，浇不上水。干旱之后村里的小麦十有八九要干死了。村里的人能出去的都出去了，剩下的地也没有人种。单家峪最大的一块地只有一亩，其余的都是十几平米、几十平米的小地块。

三个自然村，60口人，100多亩地，按照这个比例算，单家峪三个村人均耕地量不算少。同时我们注意到，这里的田地都是贴着山一圈一圈向上盘的梯田，山脚的田稍齐整点，越靠近山腰和山顶地块就越零碎。很多梯田绝大多数都荒弃了，荒草有半米高。彭先收老人说，村里的人能出去的都出去了，剩下的地也没有人种了。由于地块小耕种困难再加上浇不上水，现在村里撂荒的耕地至少超过三分之二。杨集庵村每户种的地约有五到八亩，面积不大块数却很多，多达80甚至150个地块。

尽管杨集庵村隶属庙子镇，但村民更多的活动是在杨集镇，从杨集镇到里单家裕村，约为8里路。这段路路况不错，多是约三米宽的水泥路。2010年10月，“村村通”的水泥路通到了里单家峪，这样单家峪村三个自然村中，外单家峪和里单家峪都通上了水泥路，尽管路面只有3米，但行走起来要比以往方便多了。独独落下了杨集庵——到了里单家峪村，就到了通往杨集庵村的山脊道起点处。

里单家裕村现有两户，李荣霞的家就在村口。进村的车停在村口，如果此时有其他车辆要通行，就难了。走进里单家裕，发现多数的石头房子没人居住，已显出残坏之象。底盘高的车，是可以开着到杨集庵村的，那样就不会耗费太多时间，但我们来到时积雪刚刚融化，车辆无法前进，只能步行前往。这条路，是杨集庵人进进出出的唯一通道，村民们走了数十年。

村子名字叫杨集庵，但几户人家都姓彭，上溯都是一家人。200多年前，彭家的先人拖家带口来到了杨集庵，在这里定居，生儿育女繁衍下来。杨集庵村西头，还有一棵老槐树——算是村里的标志。村民彭先收说，这棵槐树已经三百多岁了，比村子的年龄还大。彭先收76岁，头上戴一顶小帽，上身穿一件蓝色大衣，初次见面，老人热情有加，与我们并没有生疏感。

老槐树还是重要的地界标志。树东边是潍坊青州，西边就是淄博临淄。老槐树也是几位留守老人聚会的地点，天好时他们会坐在槐树上聊天，这也算是主要的“娱乐”活动之一了。

老槐树下摆着几条青石，青石条可坐六七个人。天气炎热的时候，这棵两人都合抱不过来的高龄老槐树下，全村人在这里乘凉，是村里最主要的“休闲娱乐场所”。村里还有一个供村民休闲的地方，也与槐树有关。村民们常聚会的地方在彭先收老人房屋的后面，那里的路有一米多宽，道边躺着一根直径20多厘米、长3米多的槐木树干。由于坐的人多了，树干上被磨得“油光可鉴”。

晚上8点左右，几户人家就关灯入睡，农闲时早上起来简单洗漱之后，就盼着天气好点，能聚到树干上看太阳。从日出东方看到日上头顶，这时已经到了中午了，该回家午饭了。吃完午饭，如果没什么紧要事，他们再次来到槐木树干，再把太阳从正头顶目送到西山下。天黑了，回家吃晚饭。一天又一天，一年又一年，许多老人几十年的岁月就这样慢慢过去了。

杨集庵村是寂寞的，终年鲜有人来。我们来探访时，老人们看到外人颇为热情，老远就招呼到家里坐坐，进屋端茶倒水。离开时，他们会在村口远望挥手，直到客人拐过山路，再也望不到了才会折身回去。几乎每一次，前来探望的义工们都要享受到这样的“盛情”。

村民李元花老人的院子里，有一个用来接收电视节目的电视接收器，也就是当地人所说的大锅，能够接收20多个卫星电视台的节目。屋里摆放的是一台14寸黑白电视机，老人说其实很少看电视，电视机上还有淡淡的灰尘。在彭先收老人的家中，屋里桌上有一台12寸黑白电视机，老人说电视机已经用了三四十年了，现在只能收一个台，经常有声音没图像。

大概是“日出而作，日落而息”的生活习惯，老人们的身体都很结实，同行者猜测可能是惯走山路，锻炼而成的。可资佐证的是，2012年冬，村里的人没有一个人患感冒。但也带来一个显而易见的麻烦：老人们的腰和腿膝盖都有大小不一的毛病，这很大可能与常年在蜿蜒曲折的山路上行走有关系。

留守在村里的共有9人，有4人外出没在家，另外5人中80岁的彭先永老人有哮喘很少外出，到访的我们能够见到的只有4个人，分别是彭先收夫妇和李元花及儿子彭宪虎。

我们来到彭先收老人的家中。彭先收和老伴李守英居住的三间房子处在村子的中心位置。他所住的是三间石头房，房子历史悠久，呈南北走向，除了门框和窗户周边用了几块青砖，其余都是用石块垒成的。这也是村中多数房子的特点，石材可就地取，无需额外的花费。清光绪年间杨集庵村开始有人居住，彭先收居住的这三间祖屋就是那时候修建的，传到他手里已有二百多年的历史。年久失修，房屋有些透风漏气，2009年檩条和瓦都换成了新的。有意思的是，这里也没有厨房，两位老人是在冬天生火的炉子上做饭的。

虽说人少地多，但彭先收家的院落不大，面积在十多平米，院中央有一个磨盘，一条小黄狗看家护院。我们前来拜访时，小黄狗“汪汪”直叫，被主人用石头挡在了窝里。没有院墙，院外就是山，裸露的山石清晰可见。其实，房子就在山中修建而成。

房子没有隔墙也没有加装顶棚，一进屋房内的摆设就会尽收眼底。南墙位置有一张双人床，靠北墙也搭有一张床，这是来客人或儿女回家时过夜用的。家里每天晚上只点一根灯管，每晚最多亮三个钟头吃饭洗碗，这三个钟头中可以看一个多钟头的电视。李守英有一个习惯，每次收完电费都把电费单放在一起夹起来。孙树宝发现，单子最早的一张是2005年10月16日的，最晚的一张是2010年2月2日的。从2005年10月至2010年2月，四年零四个月当中，彭先收家一共用电159度，平均每月用电量为3度，日用电量不足0.1度。

在村里，磨和碾是最重要的生产生活工具，家里的狗和鸡要断口粮了，老两口都会磨点麦麸——当然，这一切都靠人力完成。磨盘重达二百多斤，是彭先收50多年前一步一步从淄川背回来的，一直用至现在。村里几乎家家有石磨，这些年生活好了吃上白面，但石磨仍发挥着不可替代的作用，用李守英的话说，过段日子不摊点煎饼吃饭都不香。

理发，很多时候也得自己完成，生活用水也是这样。彭先收这几年一直受腰椎间盘突出和腿疼困扰，已经七八年不怎么能干活了，家里挑水都是老伴完成。李守英挑水也不能挑满桶，而是每次挑两个半桶，一天挑一次，这是生活的主要内容，也是最大的体力活。岁数大了，原来耕种的地也很多撂荒。彭先收开玩笑说，自己家里有几十块地，都能算上地主了，可实际上总共加起来也就两亩多。

从村西头左拐，顺着山坡绕到村南侧，有一个水泥台，杨集庵的人世世代代就是在这里挑水吃。

在平常人眼里，挑水就是个力气活，其实这是一个技术含量并不低的工作。孙树宝到杨集庵村采访时，曾记录下李守英老人挑水的情景。“她挑回了满满两桶水，在一条狭窄的石阶路上，老人犯了难，她必须一手扶着路旁的石头，一手保持着扁担的平衡，艰难地前行。‘一年不如一年了，五六年前挑一趟水很轻松，也不感觉累，现在不行了，挑水回来就得歇半个小时。’李守英告诉来访者，一般一天两桶水就够他们老两口用的了。”

在杨集庵村我们注意到，杨集庵村与其他地方有些不同，别的地方一两个集年货就已备置齐全，但这里的老人们却要忙活一个腊月，太多的东西没有办法背上山，因为赶集要走过4里地的山路，再走上8里地，来回就是24里！

村里有泉水，有清洁的空气，但油盐酱醋需要购买，二十多年前杨集庵村头有个小卖部，后来村里的人越来越少小买部分也撑不下去了，村民们置办生活用品只能下山去。镇上的赶集日是“四”和“九”，也即农历的初四、初九、十四、十九、廿四和廿九是赶集的日子，这几天卖货和买货齐聚集市。要置办年货即使从腊月初四开始赶集，直到腊月廿九也不一定能办齐。

这已是杨集庵村村民多年养成的习惯，他们早上五六点钟就上路了，几乎总是最早赶到集市的人。即使为了节省时间走小路，也要下午两三点才能回家，路上还要歇多次。

30年的时间，杨集庵村从130多口人的山村到常住居民只有9人的小山村。

村里的老人告诉我们，村里人若要走出去大体有三种情况，出嫁、外出打工和到别处做上门女婿。这些人或出去打工创业在外面落户，或者通过考学到外面谋得一条生路离开杨集庵。他们哪怕不为自己，为了孩子也得出去。其中相当重要的原因是为了让下一代接受更好的教育，他们希望通过教育改变现状。

这些年来，杨集庵的姑娘都嫁到了村外，到青州市，到淄博，或到青州市内条件稍好的乡村，几乎没有一个留在本村的。无法选择娘家，可以选择婆家。嫁个好婆家，是不少杨集庵姑娘走出这个养育自己，生活环境却极不方便的村子的一条出路。每年的春节村里会短暂地热闹几天，那是外嫁的女儿带着子女回娘家与老人一起过年来了。

姑娘不愿留，外人也不愿来。2013春节过后我们来访时，杨集庵村已经26年没有迎进一个新媳妇了。李荣霞的亲二妹李荣爱是到村里的最后一位新媳妇，在她之后再没有人像她那样嫁到杨集庵。

李荣爱当时愿意嫁到村里是因为对象是个高中毕业生，在当年高中毕业生已是很不错的婚嫁对象，也算是很有文化的人了。更为重要的是对象特别能干，要不然她是否嫁到村里还真没准。

李荣爱出嫁时，杨集庵村里村外没有正经路，没有车接没有轿抬，只是婆家徒步来了几个人到娘家，娘家再有几个人徒步送到杨集庵，就这样手腿并用连走带爬地沿着陡峭山路嫁到村里。

李荣爱一家最终还是选择“出走”，这也是为了孩子。她有两个女儿，大的今年25岁，小的正在青州（市区）上小学。大女儿为了上学，一直住在山下的一个亲戚家里，到周末的时候接回山上，来去相当不便。

“我们这一代人受教育没有条件，我们的上一代更没有条件，我们不能让我们的下一代再受这样的罪了”，李荣爱对来访者说，7年前，她与丈夫在青州市区买了房子，两个人都有稳定的工作，孩子的教育问题算是暂时解决了。

李荣爱的想法，代表了很大一部分决心离开杨集庵人的想法。为了孩子，他们把大山和家中的亲人留在心中，然后通过自己的努力离开杨集庵，用自己的付出，去为孩子开创一个相对优越的受教育的环境。

1987年，李荣爱嫁到杨集庵前后，村里出了第一个大学生，是彭先永老人二儿子彭林业，考上的是昌潍师专（现潍坊学院），当时轰动全村，亲友们备下酒菜隆重庆祝，彭林业也成为许多杨集庵人眼中的榜样。

为了走出杨集庵村，不少小伙子到淄博和青州等地为“纯女户” 人家做上门女婿。“上门女婿”并不是当地人愿意接受的一个现实，曾经的“上门女婿”彭先虎对此有着极不愿提及的一段往事。今年45岁的彭先虎由于身体不太好，一直没有娶上媳妇。七八年前，经人介绍到青州附近一个村子里准备做上门女婿，但没到一个月又回到了杨集庵。之后，又找了两次对象都没有成功，彭先虎的婚事便耽搁至今没有结果。

在杨集庵，年轻人想尽办法往外走，但也有人愿意留下来，甚至准备留到最后，李元花就是其中的一个。李元花老人今年76岁，有着不同寻常的人生经历。她原是滨州博兴人，六七岁时候随母亲一同外出讨饭。1958年，她们讨饭讨到里单家裕村，便在村子里留下来。因为家里实在太穷，母亲养活不了她，就把她嫁给了杨集庵村民彭贵诚。彭贵诚1947年参加了解放军，在一次战役中，一颗炸弹在彭贵诚的不远处炸了，彭贵诚腰部一阵剧痛，顿时血流如注。拖着一条血腿，彭贵诚咬牙坚持找到了部队。在部队，医务人员为彭贵诚做了简单的手术，结果从彭贵诚的腰部取出好多炮弹残片。

由于战场上立了功，1953年，彭贵诚转业到地方后先安排在青州工作，但他放弃了留在城里的机会，决心回家。回到杨集庵村之后，彭贵诚在村里做了20多年的党支部书记，一直到1988年病逝。李元花老人讲了个老伴去世前令她难忘的细节：在彭贵诚去世的前几天，他后腰处突然开始溃烂，彭贵诚自己也一直说烂处下面有东西。李元花用针帮着挖了一下，竟然挖出一块食指肚大的炮弹碎片。彭贵诚，是带着那块弹片走的。

彭贵诚埋在了杨集庵，李元花的所有依恋和美好记忆也都留在了这里。她说，自己这个年龄，不走了，就在这里守着老伴，一直到自己离开人世的那天。老人走起路来虎虎生风，精神矍铄，只是耳朵稍微有点背，跟她讲话声调要提高一些。与其他村民相似的是，多年的山区生活，让老人腿部有很大毛病，一到晚上膝关节疼得睡不着觉。

我们拜访老人时，她与儿子彭宪虎借住在村里的亲戚家中，自家的房子在夏天因连天阴雨坍塌。李元花向我们讲述当时的情景时，仍带着劫后余生的庆幸。当时已是晚上，老人正在看电视，彭宪虎躺在炕上睡觉，突然房墙摇动起来，在毫无准备中房子就塌了。彭宪虎被砸在塌墙中，李元花大声求救，尽管自己很清楚，村里都是老人家，很难帮上什么忙。于是，李元花凭借好身体使劲在土中将儿子挖了出来——幸好彭宪虎当时是侧着身子睡觉，如果是仰面休息，后果将是不堪设想。我们见到彭宪虎时，他倒茶漆水，手里夹着土烟，听着母亲的讲述。

冬天下雪时，村子里变成白茫茫的一片。这时，村里的几个人会集体扫雪，不管年轻人还是老年人，一起出动在蜿蜒的山路上清扫出一条小路，否则他们会被困在山里。

为什么坚守？这里环境好、空气好、水也好，留守在这里的人毫不含糊。李守英说，孩子想让自己下山到他们家常住，因为这事她甚至发了火。山上空气清新，已经习惯了，现在还不想出去，到动不了的时候再去山下和孩子们住一块吧。

彭先收有两个儿子和一个女儿，女儿嫁到了青州（市区），两个儿子到临淄做了“上门女婿”。老人说，自己也愿意和孩子们住在一起，享受天伦之乐，但现实条件不允许。虽说孩子们有了自己的家庭，但日子过得并不富裕，老两口再搬过去，肯定会给孩子造成不小的负担，带来更多的经济压力，拖累孩子。对他来说，自己和老伴儿没能给孩子提供更好的教育机会，好在他们总算各自有了媳妇各自有了家，老两口也就放心了。

前些年，邮递员多数是从村里往外带东西，有些人家的孩子在外面上高中或大学，家长经常将包裹好的花生、煎饼等交给邮递员孙吉刚带给远方的子女。如今的情形正好相反，居住在村子里的多是年迈老人，子女们在外面打拼，电报没了信函也明显少了，送的多数是报刊、包裹、汇款，逢年过节还经常给老人寄来药品或保健品。

工作多年的孙吉刚为村民送邮件每次要走六十多里山

路，他说，每次到单家峪或杨集庵村时，老人们拉着他的手说说笑笑，浑身的疲惫就一扫而光了，有时候来整个村子见不到一个人，心里就觉得难受。孙吉刚想，山上居住的老人，年龄大了身体不太好，没有体力和精力干农活，只能依靠外面的子女供养，这终究不是个办法。

居住在山上的老人年岁已高，村里没有诊所，生病除了等、靠之外，只能到山下诊治——山下的小诊所离山上有十二三里路，而且得徒步前往。老人们的小病，常常“忍忍就过去了”，只有大病才会到城里去。

2011年7月31日，潍坊社区义工联合会与潍坊艺丰钢结构公司联合建造的社区义工爱心诊所在杨集庵村正式启用。留守在大山里的10位老人再也不用到山下寻医看病了，并且相关药品是免费提供给老人。每个月的周末由潍坊市中医院具有行医资格的义工们轮流上山为老人看病送药。义工联合会还组织义工于特定周末和节日前往村里给空巢老人送去生活用品、帮助老人干家务活和农活、陪伴老人过年过节等。两年来，无论春夏秋冬，不管刮风下雨，义工们的活动从未间断。

社区义工爱心诊所占地50平方米，房屋三间，钢结构建筑。诊所位于村里最大的一块平地上，是几家人秋收时要使用的场院。孙在前告诉我们，给钱给东西可以解决一时的问题，但诊所却是这些老人所最急需要的，他和孙树宝也是见人就说这个事情，询问他们是否有兴趣免费建一个诊所。后来潍坊的一位企业家得知这个事情，也深为老人们的坚守所感动，自己组织建起了诊所。我们来的时候，诊所已使用一年多，却是村里最新的建筑，老远就能看见。诊所招牌都已有些陈旧，孙在前说有空要重新做一个。

在诊所里我们看到有药品柜、体重秤等，制药厂免费捐赠的4000多元的药品，以及一些治疗日常生活中常见病比如感冒、头痛、发烧等症状的药。

义诊在每个月的最后一个周日进行，义工联合会会员排班上山。留守老人的病症多集中于骨病等，腰病、腿病比较多见。75岁的彭先收老人右腿膝盖处已经变形，这是常年得不到医治的结果；一位80多岁的老大娘，连简单的弯腿动作，都会觉得腿部疼痛难忍，医生先为老人开了一盒膏药，并说会根据其自身的恢复情况进行相应的治疗。

孙树宝告诉我们，2013年3月3日，潍坊市社区义工联合会的32名义工再次来到杨集庵村，慰问生活在这里的空巢老人，并为他们义诊，这是义工团队两年来第二十次送爱心到这个大山深处的小山村。

社区义工（潍坊）联合会于2007年11月正式成立，已做出了不小的名堂。孙在前告诉我们，社区义工秉承“凝聚力量、奉献爱心、服务社会、共建和谐”的服务理念，以“关爱身边人、影响身边人”为活动宗旨，积极倡导“有困难找义工、有时间做义工”的义工精神，关注弱势群体，服务城市社区。

中国农业大学人文与发展学院叶敬忠教授组织的“中国

农村留守老人研究”课题组，自2006年11月开始，历时两年，深入农村劳动力输出最为集中的安徽、河南、湖南、江西和四川五省，对400名留守老人及相关群体进行了深入的实地调查。

调查显示，80.9%的留守老人依靠自己的劳动自养，从事农业生产或其他副业的自我劳动收入，往往仅能满足基本生活需求甚至不足以自养。子女外出务工对留守老人的影响是整体的、负面的。很多留守老人不仅基本的养老需求无法获得满足，承受沉重的劳动负担，还要肩负抚养孙辈的压力。

叶敬忠说，子女外出务工使传统的家庭照料结构受到破坏，空巢家庭的比例激增，留守老人生病受伤时无法及时就医和得到良好照料。“就我国当前现状看，以家庭为主的养老方式仍需长期保持。任何在家庭外建立起来的社会保障制度都不能取代家庭的功能和责任。”叶敬忠认为，应对留守老人问题的重点，是如何通过不同层面的“合力”，来提升家庭养老能力。在目前家庭养老保障功能弱化的情况下，通过公共政策的制定、建立健全各项制度来保障留守老人的生活需求，创造良好的生活环境，是管理部门不可规避的责任。

25. 我欲抚养，我本无力

离开，还是留下，这是个难题，也需要选择。

对多数进城务工人员来说，什么都可以将就，但孩子的教育马虎不得。最理想的选择当然是带着孩子进城，并在城市学校接受教育，但摆在面前的一是学校难找，二是借读费用不菲。于是，很多父母选择让孩子在家乡成为“留守儿童”，他们的生活由爷爷奶奶（外公外婆）照顾，家庭教育也由隔辈的长辈来完成。

在中国传统文化下，长辈慈祥、晚辈孝敬，应是理想的也是基本的要求。年长者抚养照顾孙辈，也是人们习以为常的状态。在人口流动的现实中，很多留守老人对子孙的抚养，尽管无法拒绝，却成为“无奈的负担”。

2012年5月，贵州黔中县红板村王文中家，三个孙女围绕膝下，她是三个孙女的奶奶，更是唯一的照顾者。我们来到她家时，看到的更多是温馨中透出的苦楚。王文中已是63岁，左腿关节有严重的风湿病，最严重时只能挑半桶水，一个来回要走4里地。有时因挑水造成关节疼痛，会几天无法挑水，此时的她只能用水壶一点一点地拎回来，以解燃眉之急。

王文中两个儿子都在外地打工，两个儿媳妇不知去向，她猜测应该是在外地打工，因为贫穷都不愿在家里常住，大二媳妇甚至已是多年没有回到村子里来，音讯全无。两个儿子有时过年也无法回来。2009年，王文中的老伴因病去世。村主任熊顺云告诉我们，恶劣的自然条件，困苦的生活条件，使得村中寿命超过60岁的老人不是很多。

仅仅是吃饱喝好，留守老人们还没有完成任务，他们在抚养孙辈的同时，还要照顾他们的学习。

由于大部分进城务工人员收入和条件有限，父母难以将孩子带在身边，孩子只好在家里交由爷爷奶奶或外公外婆抚养。不应忽视的一个现实是，绝大多数留守老人的文化水平有限，很多人只能管好孩子的吃喝，道德、学习、性格、心理的教育往往心有余而力不足。

“抱得太紧，舍不得放手”是农村留守老人对孙子（外孙）普遍存在的状态。如今的农村相当多家庭是独生子女，家里把孩子视为掌上明珠，孩子的父母外出打工后，留守老人更多了一份沉甸甸的责任。他们极度关注孩子的安全，坚持上学、放学按时接送，终日诚惶诚恐，生怕出半点差错。

由于文化程度低，老人们无法辅导孩子做功课。对孩子学习上放松要求，生活上百依百顺，导致孩子学习习惯和行为可能都比较差。

贵州红板小学校长夏维贵说，老人们都是大字不识几个，根本就无法教授孙子孙女，而他们现在首先要解决的是孩子的吃住问题。红板小学尽管只是一个行政村小学，但因该村面积较大，最远者徒步上学需要两个小时，很多学生中午没有办法吃午餐，只能饿着肚子。

红板村的刘万奎老人，自己的名字都不能写出来，他说自己急了的时候也会打孩子，孩子的学习自己是根本就没有办法帮上忙。他用着自制的烟斗，大口地抽着旱烟。

2009年5月10日中午，四川省巴中市巴州区第三小学校接送孩子的家长或坐在校门口的石阶上，或站在校门口，不时看着手表。临近12点下课时间快到了，校门口的人越聚越多，直逼百人，将校门口堵得严严实实。人们注意到，在这支规模庞大的接送大军中，满头银发的老人约占90%。

媒体的报道中这样写道，13岁的巴州区四小六年级学生李萍萍，父母双双去新疆打工，把她留给爷爷奶奶照看。李萍萍学习成绩非常好，常常排名在班级前三名，父母外出打工后，她没有以前活泼开朗了，学习成绩一落千丈。对于爷爷奶奶来说，孩子能吃饱穿暖，不出大事就行了。“农村孩子有几个上大学的？考上了我们也供不起，能认识自己的名字就行了。”李萍萍奶奶的“教育”对她产生了极大影响。“奶奶说，不上大学一样能打工，能赚钱”，李萍萍说。

“爸爸、妈妈快一年没回来了，过年时也没回来。”11岁的小学四年级学生张敏提起把自己狠心留在农村的爸爸妈妈，眼泪直往下掉。奶奶不识字，年龄大家务负担重，根本谈不上在学习上对张敏进行辅导和监督，且动辄打骂。“奶奶有时也看着我学习，但有一次我脑子里想妈妈，把书拿反了，奶奶看到书上的人头朝下了，给了我一巴掌。” 张敏说。

13岁的蒋建军来自巴州区玉山镇，在巴州区十一小读五年级，爱提问题，成绩也好。10岁那年，蒋建军的爸爸妈妈到上海打工去了，把他和弟弟交给外爷外婆抚养。

“去年开始，他好像变了一个人似的，不听话，对学习提不起兴趣，讨厌与人交往。他爸爸妈妈每次打电话，他连电话都不接。也不晓得这娃娃是咋个想的？” 蒋建军67岁的外婆不解地说，“家里有吃有穿的，他还有啥不满意呢”？

“他是班上最忧虑的孩子，成天心事重重的样子。在课堂上从不主动发言，也不爱跟同学说话。” 蒋建军的班主任李老师说，“这可能是隔代教育的弊端。孩子多年来和父母交流沟通少，67岁的外婆除了给他做饭洗衣，不能走进他的内心世界，怎能好好地教育他呢”？

第八篇　守得住孤独守不住隐痛

26. 寂寞老人与老“小姐”

留守老人，需要的不仅是物质，精神上的空虚寂寞更让他们揪心。

2011年11月，广西桂林市临桂县警方在农村捣毁一个野外卖淫窝点，当场抓获失足女性和嫖客12名。其中6名失足女性大白天在野外山坡上“做生意”，她们的“顾客”多是老年人，其中一名老汉已是82岁高龄。

窝点在临桂县会仙镇卫生院附近的山坡上，失足女性的招徕对象多是老人，“交易”价格很便宜，15到20元不等，对农村老人来说，这个价格“可以承受”。

在一片足球场大小的山坡上办案警察发现了他们，山坡上杂草丛生，满是树木，还有坟堆。事后警方得知，6名失足女性来自附近，年龄最小的37岁，大的50多岁。每到“圩日”（赶集的日子），她们就会聚集到会仙镇卫生院附近的山坡，做起“生意”来。一位53岁的失足女性说，自己会在赶集的时候到附近的会仙镇、六塘镇一带招徕男人，对象都是六七十岁的老人。有时候还会在赶圩途中招引男人，有的已是常客，知道交易的地点，会早早在山坡上等待。“多的时候，一天能招到四五人。”

李老汉是被抓获男子中年纪最大的，82岁。被抓获时，李老汉随身的袋子里装有猪肉和一袋小柑橘——刚刚赶集买东西回来。“我是到镇上买菜的，是途中被一个女的硬拉来的。我都这么大年纪了，真是丢死人了！”李老汉感到“委屈”。

警方说，到野外山坡上与失足女性行苟且之事的，多是上了年纪的农村老人。

在广西藤县某镇，老“小姐”对老人的性交易已是半公开化，价钱也是公开的秘密。价钱一般很低，一方的中年妇女一次收费多者二三十元，便宜时也有15元的。据说更早的几年前，甚至5元钱一次的“成交”也有过。“生意”不错，顾客却都是镇上中老年人。

为避免碰见本地人而尴尬，干这“行当”的失足女性多为省外或周边镇的，流动作案，随各镇的集市而流动。这些失足女性中最长的60多岁，甚至有人看见一个年逾花甲的妇女“一边带孙子一边‘做活’”。

对于农村留守老人刑事犯罪，有检察机关专门进行过调查分析，发现因生活空虚和不健康心理引发的性犯罪呈多发趋势，侵害对象多为年幼、智障等女性弱势人群。由于经济和社会生活方式的影响，许多老年人大多数时间或者独自生活，或者与“留守儿童”相依为命。在农村，青壮年劳动力多数外出打工，留下老人和小孩在家，难以从实际生活上给予关心和照顾，容易产生心理问题。与此同时，大多数老年人文化程度低，自我约束能力差，存侥幸心理。

河南省荥阳市的白老汉与崔姑娘同村，甚至可以说白老汉是看着存在智障的崔姑娘长大的。白老汉自从子女外出务工、老伴去世后，整天无所事事。一天，崔姑娘从白老汉家门前路过，白老汉对崔姑娘说：“我家里有好吃的，你过来尝尝。”白老汉把崔姑娘推到床上……此后，白老汉不放过任何一次机会，直致崔姑娘怀孕。

某偏僻农村，71岁的老人以金钱为诱饵，多次将年仅12岁的小丹骗到自己房间、村边旧房及村后山诱奸。诱奸的，还有小伙伴小珍、小芸，当时小珍14岁多，小芸13岁。涉嫌对这些女童实施性侵犯的，还有其他3名老人，他们的年龄分别为67岁、62岁和70岁。其中的一个老人黄某，老婆26年前因病过世，两个女儿陆续出嫁，这些年一直过着独居生活。“每年女儿就是过节的时候回来看我，家里寂寞呀！就是等死，哪个时候死了也不知道。”除了喝酒，黄某唯一的爱好就是买些“狮公戏”（壮族的一种戏曲）的影碟在家里看。

寂寞空虚的生活带来的也许就是犯罪。广西贺州市87

岁老汉何铁成，老实巴交，从不与外人交往，老伴去世，儿女不在身边，生活倍感寂寞。年初，老汉偶然认识了一位女子，女子提出带人到老汉家里“热闹”，让她从中收取“中间费”，何老汉同意了。越来越多的卖淫女和嫖客慕名而来，行苟且之事。被查处后，何老汉老泪纵横。

2008年，重庆万州区，七旬老人孙刚在发廊嫖娼时猝死，被发廊老板抛尸荒野。当年的7月27日，孙刚到邻近的白羊镇赶集，直到晚上没有回家。家人四处寻找毫无音讯。

报案后很快真相大白。当天孙刚经过该发廊门前时，一个发廊女喊他进去耍。进去约20分钟后，孙老头身体不行，几分钟后死亡。第二天凌晨，发廊老板用床单和窗帘布将尸体裹好后，开车到镇上偏僻处，抛尸荒野。

趁小女孩熟睡之际，或者利用零食诱惑，湖南邵阳的60岁老人肖某在一年多时间里奸淫幼女多次。8岁的小玉(化名)是留守儿童，与姑姑（肖某的儿媳）生活。肖某已丧偶，小玉每晚便与肖某同睡一床。2011年5月至2012年8月，肖某趁小玉入睡后，多次对其实施强奸。

2012年8月2日，肖某在医院探望孙子时，以买零食为由将与孙子一起玩耍的7岁的小女孩小云带至家中玩耍。下午4时许，肖某趁儿媳、儿子外出之际，将小云抱到自己的床上，强行与小云发生了性行为。

后来，小玉的姑姑给小玉洗澡时，发现小玉阴部红肿，此时小玉才说出了事情的原委。

27. 2012重阳实录：这不是我的节日

2012年10月24日，农历9月初九，中国传统节日重阳节。

《易经》中，把“六”定为阴数，把“九”定为阳数，九月九日，日月并阳，两九相重，故而叫重阳，也叫重九，古人认为是个值得庆贺的吉利日子。当下，人们常把重阳节称为老人节。

“不记得是第几个留守的重阳节啦。我不觉得是我的节日。”阿真婆婆说。61岁的阿真婆婆，家住在离广州500多公里的揭阳市普宁下架山西铺村。她有3个儿子，1个女儿，小儿子在广州打工，另外两个儿子在老家附近打工，女儿早早嫁到隔壁镇了。

重阳节，阿真婆婆最希望在外打工的儿女能回来陪陪自己。“平时陪着我的有什么？”老人掐指数来：大孙女“懒妹”、小孙女“黑妹”、两岁半的小孙子；电视机里的电视剧；以及回忆——回忆去世的老伴阿耀，和他“唱歌时的样子。”

2012年重阳节前夕，天气转凉了。阿真婆婆把凉席洗好，收起，一床简单的毯子洗晒好，放在床上，“一冷就可以拉过来盖”。和村里很多留守老人一样，阿真婆婆的儿子在外挣钱，小孩只能托付在奶奶这儿。“每晚睡觉都要起来几次，看看孙子们有没有掀掉被子。”

三个孙辈给了老人最大的温暖。“懒妹”9岁，“黑妹”7岁，都上小学了。平时她们很乖巧，会帮忙洗洗碗、扫扫地，做些力所能及的家务，小孙子两岁半，需要经常照看着。

让阿真婆婆最头痛的是觉得自己“无法指导孙子学习”。因为自己文化水平不高，只好延续“棍棒底下出孝子”的方法，孙子们不听话，没有好好学习就只好“开打”。

孙子孙女们嘻嘻哈哈地玩耍，疲惫地睡去后，阿真婆婆会想起老伴阿耀。“我还记得他年轻时唱歌的英勇模样，记得他教育儿子‘男儿要立志’！他走了，我感觉心里空空的。”3年前，老伴去世，现在很多回忆会缠绕着阿真婆婆。平常两个孙女去上学，除了和左邻右居里朋友喝茶聊天外，大多数时间里，阿真婆婆带着小孙子默默待在家里。一台播着连续剧的电视机是最大的娱乐活动。

阿真婆婆并不认为能改变“留守现状”。如果儿子留在村里，最多只能去村里小型私家制衣厂打打杂，一个月大概挣1000来元，在外打工再勤快加班，一个月可以挣2000多元。

“为了生活，为了多挣点钱没办法。”她说，现在样样都贵，菜也贵，肉也贵，看病也贵。“我最怕生病，不仅要花钱，还要让儿媳回来照顾我。”

每年的重阳节，阿真婆婆会准备点祭品拜拜神明，祈求全家安康，但并不觉得是自己的节日。邻居的很多情况都和自己相似，只是他们不知道自己属于中国一个庞大的群体，叫做“留守老人”。

家住广州海珠区，74岁的老卢夫妇情况好很多，一双儿女事业有成，家境宽裕。但老卢并没有跟随儿女外迁住豪宅，而是和老伴一起住在当年单位分配，有几十年楼龄的沙园街荔福社区楼梯房里。

除了熟人，公园、娱乐、旅游等，成了城市留守老人的“取暖宝贝”。

“外面有各种好，但我喜欢这里的氛围，左邻右里都是熟人，而且居委和街道特别有人情味，宁可爬四层楼梯我也愿意。”老卢说，目前和老伴身体硬朗，自己感觉料理生活完全没问题。每天一早，老两口就到附近的晓港公园晨运锻炼，10时左右到市场买菜。“有时候老伴买，有时候我去买，反正家务活大家一起分担，千万不要都是一个人干，那样就没意思了。”下午，则跟街坊一起打麻将娱乐娱乐——这也是卢叔留守的一个重要原因，左邻右里都是几十年的熟人，“到了外面，哪里找街坊跟我打麻将啊”！

老卢退休前在广州保温瓶厂工作，做了多年外贸工作的他跑遍了全国，还到过国外许多地方考察，他说退休后自己就不愿意再往外面跑，宁可留到家里安得其所。但他鼓励老伴出去旅游，现在时不时儿女都会带老伴到国内外旅旅游。“以后年纪再大一些，我就考虑在家里装上平安钟，我觉得没有什么后顾之忧的。”他对于目前的状况十分满意，自评“不用依靠儿女同样能安享晚年”。

对老人家来说，儿女最好的礼物就是“常回家看看”。然而，这一点对一些打工者来说却是奢望。一项针对近万名打工者的调查显示，七成七打工者半年或更长时间才能见父母一次。

一家手机招工平台针对近万名基层打工者的调查显示，21%打工者半年和父母见一次面，36%一年才和父母见一次，20%表示一年到头也难见到父母。

“一年能回去一次就不错了。”李志坚来自四川，当问及重阳节是否和父母一起的时候，他甚至都没有想起第二天就是重阳节。路途遥远，回家一趟光车费就要好几百元，更别说请假了。

若要回家和父母团聚，时间、金钱成本是一些外出打工者“不能承受之重”。打工群体普遍存在假期不足、工作强度大的问题，回老家还要面临相对比较昂贵的交通费。一般来说，他们会选择在春节或者国庆黄金周回家团聚。

回家难，把老人接到工作的城市一起居住更难。与一般打工者相比，梁钊强属于非常幸福的了，因为他现在就和父母居住在一起。钊强已经结婚生子，接父母来主要是为照看孩子。钊强的工资每个月是3000多元，每月会拿出1000元由父母来操持家务。重阳节快到了，钊强最希望父母能健健康康，也希望自己能多赚点钱，让父母过上好日子。

2012年的重阳节，舆论对留守老人、“空巢家庭”给予了空前的关注。这一天，海外华文媒体频繁关注中国的老龄化问题，并提出一些应对措施，有评论倡议发展适合中国国情的投资多元化的养老机构，也有文章指出“在地养老”可以让老人发挥自我价值，“老有所用”，快乐而有尊严地生活。

香港《文汇报》文章《内地三成留守父母年见儿一次》称，上海一份调查报告显示，三成“留守父母”一年才见儿一次。文章说，一份有关上海市《2012年重阳节外来务工人员留守父母调查报告》显示，当前的老龄化社会下，由于种种客观条件限制，外出务工人员“留守父母”的养老问题相当严峻。报告显示，因为经济收入等客观原因，打工者们普遍无法把父母接到工作城市居住，如果回老家又会影响自己今后的职业发展，因而面临两难境地。

新加坡《联合早报》文章《中国为老人推出各种活动》则称，除了传统重阳节习俗，中国各地区也纷纷推出景区优惠、老年人艺术节、慰问空巢老人等多种活动，一些企业和年轻人更是别出心裁，以各种形式与年长员工或长辈庆祝节日。文章认为，在中国社会日趋老龄化，空巢老人越来越多的背景下，这个传统节日所具有的现实意义日益凸显。

香港《大公报》文章称，随着老龄化速度的加快，中国养老领域存在的很多问题也随之凸显。越来越多的家庭面临去哪里养老、如何让老人安享晚年的难题。文章引述中国社科院人口与劳动经济所研究员、社会保障研究室主任张展新的话说，政府部门应该制订规划和政策，做好服务和监督，发展适合中国国情的投资多元化的养老机构。另外，政府需要制订社会养老服务机构的运营管理条例，形成有利于民办养老事业发展的制度环境，把公共政策与市场机制有机结合起来。

台湾《中国时报》文章《在地老化，老人快乐有尊严》称，目前台湾地区的老人长照中心，大多为赢利性质，弱势家庭难以负荷；一般家庭也常因照顾人力不足，累得身心俱疲，以致老人受虐悲剧频传。文章说，先进国家（或地区）面对高龄化社会的做法是“在地老化”，就是让老人选择在自己有能力负担、感觉快乐合宜的地方养老；例如在社区中与亲友邻人互相照顾，能“老有所用”，发挥自我价值。

有调查显示，在农村留守老人中有90%都伴随不同程度的孤独感，既盼着儿女们回来，又担心他们赚不到钱。既担心孙子的安全，又担心自己的身体。这种矛盾的心情交织在一起，让留守老人们难以清净一回。老人们领回女儿们寄回的钞票时，更希望得到的精神上的安慰。

有人把老人们的这种状态叫做“空巢综合征”，将之解释为老年人在子女成家立业独立生活后，由于适应不良出现的一种综合性症状，是一种心理危机，容易对生活不满，产生沮丧、失望、抑郁、焦虑等情绪。

28. 孟祥福：从打工者到留守老人

孟福祥的人生经历可谓丰富，年轻时他是流动人口，老来却成了留守人口。1951年出生的他毕业于一所中专学校，并进入山东当地一家中型企业做会计。

当年，在企业工作抱的是铁饭碗，工作体面，待遇优越。但老孟性子倔强，与领导发生矛盾后，甩手不干了，跑回了几百里地之外的家乡。从“铁饭碗”回到家乡抱着土疙瘩。“当时就是咽不下一口气，要说一点不后悔也是假的。”老孟回忆这一经历时，稍显落寞。

雪上加霜的是，老孟因年轻时行为举止便与一般人不同，想法在小村子中很是另类，加上“辞职”的事，很多人对他不理解。家人对他的决定有些恼怒，但无可奈何。当时20多岁的老孟终身大事提上了日程。姑娘叫王庆芝，来自隔壁村，相隔4里地，彼此大概有些印象。王庆芝对老孟的“光荣事迹”早有耳闻，见面时觉得他一表人才，有书卷气，就是人稍显窝囊。婚事就这么定下来了。

于是，王庆芝成了孟福祥的媳妇。

可是，老孟根本就不习惯在农村种地，这是枯燥而繁重的体力活。20世纪80年代，赶上到外地打工潮，老孟组织几个同村的人到吉林打工，干起了“包工头”的活，他们干的是带有技术含量的瓦匠活，开始时盖平房，后来盖上了楼房。

进入90年代，老孟的四个儿子陆续长大，也能出外打工了。于是，四个儿子也成为这个包工队的成员，最后大儿子成为“包工头”，老孟退居二线了。老孟开始做起后勤工作，负责每天做饭。老孟做的馒头可谓一绝，看着两个拳头大的白馒头，用手一攥就在掌心里了，不像有些人做的馒头硬得像石头。

老孟在村子里最早开始有了14寸的黑白电视机，尽管只能通过天线收到两个效果也并不怎么清晰频道。每到晚上，家里就会聚上一屋人来看电视。“那时感到出去打工值，这也是在外面再累也觉得值。”

在外面打工时穿的都是破破烂烂，个人卫生也不怎么留心，每天砌砖运砖都让人精疲力竭，晚上还不愿意刷牙洗脸洗脚，简陋的工棚里充满臭烘烘的味道。1994年，砌砖墙时由于基础不好，正面砖墙突然全部倒塌，差一点点把最小的儿子砸在墙底下，不幸中的万幸只是被砸掉一节中指。“再差一点可就没命了，现在想起来还会后怕。”老孟还在为儿子的幸免于难感到庆幸。

还有一次，老孟在工地里瞎转悠，突然一个大砖块从天而降，旁边的人下意识地拉了他一把，就在刚才他站立的地方砖块应声而下。

孩子们跟着自己在外面打工，媳妇却还是要在家里找。四个儿子年龄相差都在一两岁，老孟逐个张罗，操碎了心。按照当地的风俗，儿子结婚一段时间后就要分家另过，老孟还要帮忙盖新房，这是个操心的活，老孟幸运地娶了个好老婆，这一切都不用她管，全都安排得井井有条。时间悄悄流过，老孟人也老了，有时儿子们出去打工，他就希望更多的时间待在家中了，50岁的人了，要享享清福。

可是天有不测风云，在与老婆一次激烈的吵架后，王庆芝一狠心一咬牙喝了农药，最后没能救过来，就这样老孟成了“孤家寡人”。这是他最为遗憾和后悔的事，“要是当时不吵架就不会有这事”，老孟至今后悔不已。

老孟的家乡在内蒙古通辽市一个普通的小村落，170余户人家，家家有地，靠天吃饭。不知从什么时候起，耕种已不是最主要的收入来源，外出打工者才可能成为村中更富裕的人。受惠于20世纪中期的植树造林，村子四周曾被杨树环绕，空气清新。后来为了增加经济收入，老树砍伐后卖掉，已不复当年的美景，尽管已又遍种新树。村子前有一条小河，但十年前已干涸。这些年因天气干旱降雨太少，庄稼难有好收成，得种地仅能维持基本生活，无法让生活好起来。

时间流逝，老孟已是60岁的人了。老孟先是跟着最小的儿子，后来因为家庭关系处理得不好，与儿媳妇矛盾很深，他来到了大儿子家里。开始，他还能跟着包工队继续干，但已是无足轻重的杂活了，连做饭的事也已经不能胜任了。有一次，他帮忙做饭，愣是把使用过的刷锅水当成了干净的水，有模有样地做起了饭来。“人老不中用，也没办法再出来打工了。”这次，老孟是彻底的“退休”了。

日子本是清闲得很，但老孟发现自己的眼睛是越来越看不清东西了，都是白内障惹的祸。他曾到县城医院做了白内障手术，一直没有好利索。最后右眼基本失明了。

因为种地的收入实在太低，儿媳妇也选择外出打工，170多户村民至少有一半外出打工或是搬到镇上居住，常住人口已经不足原有人口总量的一半，年轻人在家种地的人几乎没有。老孟给我们举例子说，在家里要是年头不好，一年毛收入1万多块钱，去除种地的成本，最后能赚个一家老小的吃喝钱已经算是不错了，想要让家里富裕起来是不可能的。

家里人都外出打工，最后只能把已是70岁的老孟一个人留在家中。

这回，老孟从年轻时的流动人口变成了留守老人。

其实，家里的经济情况也算不错，儿子接长不短就会给他邮寄点钱回来。老孟发牢骚说，就是给我钱，我又能在哪儿花呢？老孟告诉我们，他自己的三餐基本上都是凑合为主，有时就是一天三顿挂面，早上煮好也就把其他两顿带出来了，“没什么生活质量”。

平时在家，没有什么有意思的事情。看电视，眼睛看不了，而且人岁数一大更喜欢清净，看电视还是太吵了。要是没什么事情，就是家里那头大黄狗的叫声，才算有点生气。

想儿子吗？我们问他。“怎么不想，要说不想那是假的。”老孟这么走南闯北的人，却过不了亲情这一关。他曾经多少次在邻居面前数落自己的三儿子不往家打电话，娶了老婆忘了爹。他说，儿子其实还是很孝顺，经常打电话，因为自己想儿子，实在是没办法。

有一次，老孟感冒发高烧，他也没当回事，三天高烧不止他倒在炕上就起不来，要不是邻居来串门发现得早，恐怕老孟已不在了。这件事后，儿子也觉得就这样把父亲一个人留在家中实在不放心。最后，他们决定把家搬到镇上，让孙子媳妇一边照顾孩子，开个小超市，同时也照顾一下爷爷。

生活环境的改变，让老孟很不适应。他想要出去串门却无处可去，到处溜达家里人又怕他出危险。老孟曾给我们打来电话，诉说自己的孤独和痛苦。孙子媳妇有时候因为要出去办事，又怕他自己私自出去，就把他锁在二楼的一个小房间内。老孟这回俨然成了一个“犯人”。

2012年年底我们打算再次联系老孟时，接电话的不是他，而是大儿子。大儿子说，父亲不久前从二楼的阳台上跌落，已经离世了。当时家里没人在，不知道发生了什么。

尾　声
全家迁徙，能否终结“留守”？

2013年3月5日上午9时，第十二届全国人大一次会议在北京开幕。总理温家宝作任期内最后一次《政府工作报告》。

温家宝在报告中重点提到了城镇化。他说，城镇化是我国现代化建设的历史任务，与农业现代化相辅相成。要遵循城镇化的客观规律，积极稳妥推动城镇化健康发展。坚持科学规划、合理布局、城乡统筹、节约用地、因地制宜、提高质量。他还说，特大城市和大城市要合理控制规模，充分发挥辐射带动作用；中小城市和小城镇要增强产业发展、公共服务、吸纳就业、人口集聚功能。

温家宝一针见血地提出，要加快推进户籍制度、社会管理体制和相关制度改革，有序推进农业转移人口市民化，逐步实现城镇基本公共服务覆盖常住人口，为人们自由迁徙、安居乐业创造公平的制度环境。

中国政府以年度《政府工作报告》的形式提出“实现城镇基本公共服务覆盖常住人口，为人们自由迁徙、安居乐业创造公平的制度环境”，说到底就是要保障包括流动人口和留守人员在内的所有人的合法权益，让公民可以在自己的国度上自由流动，追求幸福生活。

2013广州番禺样本调查一

15%外来工“三代入穗”，春节留广州“在家过年”。

2013年3月的统计数字显示，广州市番禺区有流动人员113万，其中47%是家庭式居住，15%达到全家三代入穗定居，即包括“爷爷奶奶”、“外公外婆”，三代齐齐扎根广州。

外来工在广州从“单打独斗”到如今“全家入穗”，这个重大转变从2012年初开始明显体现。当时，广州700多万流动人口出现从“个体流动”到“家庭式迁移”的明显趋向，番禺有10%以上流动人员表现为夫妇、小孩和老人举家迁徙，主要以“反哺式迁移”和“接棒式迁移”为模式。

2013年初，这个比例再次大幅提升，基层管理者认为是广州流动人口服务、居住证普及政策等的引导，是迁徙发展的必然。在经历了“试探性居住”后，更多的外来务必工人员把家安在了广州。在春节前回答亲朋好友“春节怎么过”的问话时，他们会说：“我们就在家过年，在广州过年！”

番禺石楼镇赤岗村东园街的一栋出租屋一楼，住着来自四川南充仪陇县的雷泽荣一家三代。这里有两个房间，月租金500元，住着48岁的雷泽荣和妻子莫秀云，还有儿子儿媳，以及胖乎乎的小孙子。

1994年，28岁的莫秀云在家待不住，想出来打工。于是借了200元，来到广州市白云区太和的一个砖厂当机工，一年后丈夫老雷也出来了。几经辗转，1996年和1997年间，夫妻相继来到番禺区石楼的服装工厂工作，孩子则放在老家跟着爷爷奶奶。

“这个社会，不出来打工怎么行？”莫秀云说，打工很辛苦，但有奔头。1997年间，夫妻俩在石楼旧牌坊附近租了一张床。他们和另一对夫妇共租一间房，房里两张床，每人每月60元，图的是离厂子近点。“我老公会踩单车，可没钱买嘛”，莫秀云说。后来搬了至少七八次家。去年搬到了现在住的地方，宽敞、舒服多了。前年，儿子也来了广州打工，并结婚生子。

莫秀云对目前的房子比较满意，她描绘着记忆中的老家屋子：“上面瓦，后面草，泥巴房。”在广州工作的最深刻记忆，就是以前思念孩子的痛苦。“我1996年出来后，直到2000年才回去一次。”因为没钱，夫妇俩一直舍不得回去。有一天晚上，莫秀云梦见孩子跑到厂里，喊了几声“妈妈”，她醒后就哭了，拍醒老公：“我要回去，我一定要回去！”回到老家，长高了的儿子都能自己跑出来迎接妈妈了。

岁月流逝，雷泽荣、莫秀云夫妇慢慢习惯了广州的生活，也“升级”为爷爷、奶奶。他们把积攒下来的钱，在老家盖了房子，从此安心定居在广州。因为对妻子当年带头出来广州打工的勇气深为感佩，雷泽荣经常向老婆敬酒。一般人难以觉察的是，他们自己在家讲四川话，对着小孙子，却讲的是挺标准的普通话。

“我们今年在家过年，也就是在广州过年！”2013年春节前，老雷说。

石楼镇流管办统计，像雷泽荣这样的三代同堂家庭，在镇里流动人口占17%左右。

从2012年初开始，广州流动人口出现重大变化，体现了从“个体流动”到“家庭式迁移”的明显趋向。当时《广州日报》在番禺作了详尽调查，结果显示有10%流动人员表现为夫妇、小孩和老人举家迁移。

时间过去一年，“三代入穗”的比例再度大幅提升。番禺区流管办介绍说，目前这个比例在15%左右。

杨光全老汉来广州定居的过程，也是一个缩影。杨光全今年77岁，老家在重庆合川市三汇镇长胜村。儿子杨成47岁，儿媳妇黄淑平44岁，儿子儿媳在广州打工11年，光全老汉则是10年前开始到广州“试探性居住”。“每两三年来住一次。” 杨老汉说。从2011年开始，杨老汉长住广州。至此，杨光全家实现了“彻底迁徙”、三代入穗。

杨家的发展史，是典型的“年轻男人出外打工——年轻女人随夫打工——小孩接到身边团聚——老人试探性居住——老人迁移”的“反哺式迁移”轨迹。

番禺区流管办在2013年年初的统计数据颇为详细：该区113万流动人员中，47%是家庭式居住，15%已经达到全家三代入穗定居。另外，单身居住为18%、合伙居住占15%、住单位宿舍占18%，其他为2%——从流动人员的居住方式，可以窥见家庭结构的大体变化。

流管专家分析说，面对新形势，就必须有相应的甚至超前的政策引领。广州服务流动人口、居住证普及惠民政策的引导，就是提高这个比例的巨大力量。一个家庭三代同堂，说明很稳定，每个家庭成员都能安心。

2012年年底，番禺历经艰难办成了一件大事：推进出租屋安全星级管理新模式，这个模式让流动人口住得更安全，清晰地享受政府福利和市民待遇，这势必带来更多的外来人员“三代同堂”，定居番禺。

雷泽荣一家住的出租屋，虽然租金仅仅500元，但消防、治安等都达标，挂上了“一星级”，可以领积分券。老雷把券收好，说将来孙子读书可以派上用场。

在番禺，安全星级出租屋并不难评。只要符合消防、治安、结构、卫疫4项安全和1项诚信标准，多老的房子也能挂星星。“双积分”是这项工作体现“服务”的重要抓手。根据规定，在番禺区连续居住及办理居住证满一年以上，并以安全星级出租屋为居住地申报居住登记的流动人员，及获得出租屋安全星级评定的出租人均可获得积分，获得积分的流动人员和出租人，可凭积分兑现政府13个职能部门及企业提供的入学、就医、就业、培训、文娱等待遇和服务，连续5年居住三星级出租屋享受入学待遇与非入户自购房相同；居住三星级出租屋即可优先免费获赠意外保险、电话费、电影券和购书券。

2013年初作者取样调查时，番禺区已在32个村居开展出租屋安全星级管理试点工作，获评安全星级的出租屋有6701户，其中一星级2780户、二星级3421户、三星级500户。试点获得服务积分的出租主6701人次，其中获得“6分”的2780人次、“12分”的3421人次、“18分”的500人次；流动人员52700人，其中获得“6分”的19859人、“12分”的26433人、“18分”的6408人。

广州流动人口“家庭式迁移”的萌芽和发展，使过往用工企业揪心的“返乡率”大幅度下降。2013年春节期间，番禺区流动人员和出租屋管理办公室对辖区130万流动人员调研结果显示，40%流动人员留在番禺过年。

对于这种现象，流管专家说，这对稳定和谐就有莫大好处。“一个年轻人到了陌生地方，如果遇到什么事，火气大的，就会想着打一架，砸上一通，反正明天搬走就行。如果家里人也来了，那会考虑得更周全。”这位专家说，“家庭式迁移”能让流动人员更安心在番禺创业工作，更有社会责任感和担当。

“家庭迁移中，最关键的就是老人小孩，他们到了番禺能稳定，家庭主心骨就会安心。” 他说，番禺每个街道（镇）都有一到两个大型文化广场，让大家可以跳舞、唱歌、聚会。外地老人来到番禺，广场是他们上好的社交和娱乐平台。

从个体流动向家庭式迁徙变化，变化的不只是数量，也不只是“流动利润”流向的变化，更是广州700多万流动人员对“家”理解的转变，对扎根所在地的选择转移，这是庞大的、结构性的变化。

2013广州番禺样本调查二

10年来流动人口增一倍，缘何出租屋数量增加8倍？ 每年的3月是中国的“会议季”，2013年“会议季”最热门的话题之一便是城镇化——其与全国亿万流动人口、“北上广”等特大城市利益息息相关。

此时，广州市番禺区公布了一组数据：登记在册流动人员113.2万人，出租屋15.1万栋、65.7万套——如果和10年前的数据相比，流动人员增长了1倍，出租屋数量却足足增长了8倍。20世纪90年代至今，广州番禺的外来务工者经历了从厂房、工棚到出租屋，从普通出租屋到“星级”出租屋的“渐进式”居家形态变化。

蔡二塑料五金工艺厂位于番禺区东环街蔡二村。厂长林维松从1990年创业至今，对厂内外来工居住形态的变化了如指掌。

23年来，工厂最高峰时有工人300名，目前有140人左右，90%以上是外来工，籍贯以四川、湖南为主。1990年前后，当地工厂多为服装、塑料、电子等行业，属于劳动密集型企业，所有的工厂都需要自己配备宿舍。

“你开厂不配宿舍，根本开不起来。”林维松说，“这是必需的”。当时根本没有出租屋的概念，因为当地农民住得也很困难，几代人，住一两个房间，本身就够呛，哪里有多出来的房子租；况且当时工人工资低，一个月的工资不到500元，对居住的要求也不像现在这么高，都是凑合着睡觉。林维松建厂的时候，在总建筑面积5000平方米的厂区内，划出1/3的地方建宿舍楼。宿舍分两层，每层12个房间，每个房间放5张上下铺床，拼凑出240个床位。

“管理起来好辛苦！”林维松说，厂子既管生产，又管生活，为了宿舍安全，当时工厂的厂房一般都设了个夜归时间，到了晚上11点左右就锁门。安全是保障了，可工人也觉得不自由，“也谈不上什么私人空间”。

在集体宿舍中，独立卫生间、独立冲凉房是“不可能的事”，大部分都是各楼层有一个公用卫生间。衣柜也是奢侈品，当时很多工厂的宿舍中，女工宿舍会都有一道景观——每个床都被布围得密密实实。“只有床属于自己，围起来了，自己在床上就感觉很自由。”一位女工回忆说，虽然可能有点闷，但觉得是自己的地方。这种状况持续到了1998年左右。这一年，工厂工资普遍上涨，一个普通工人的月薪突破了1000元，工资涨了，对生活水平自然有了更高的期待。当时进厂的年轻工人们也普遍到了适婚年龄。林维松记不清是谁第一个搬出了宿舍，只记得当时在工人中引起轰动，搬出去的工人豪言万丈："自己能住一个房间，可以尽情地炒川菜，要炒多辣就炒多辣！"

直到20世纪末，广州当时可租、便宜、安全的房子还是很少。进入21世纪，工人们的工资开始大幅度上涨，就在这个时候，当地农民建房的欲望越来越强，建了新房，旧房就腾出来了。一些精明的当地农民发现把旧房翻新后租金也跟着上涨，于是带起了一股建房风潮——农村真正成了新农村，蔡二村就这样一慢慢裂变成"旧村"和"新村"。

工人们也越来越不愿意待在工厂宿舍了，"要有个家，要住得靓一点"！他们盘算着，如果夫妻俩都打工，一个月加起来能挣3000元，附近租一个单间也就200元左右，完全承受得起，生活质量可是能提高不少。

最高兴的要数工厂了。林维松早就在叫苦：管理厂房宿舍的成本太大了，企业压力也大，而且随着厂房租金的上涨，划出地盘做宿舍楼很不划算。于是他因势利导，号召工人"到外面租房"，愿意腾出宿舍的每人每月补贴100元。最后一个工人搬走之后，林维松把这栋存在了近20年的"宿舍楼"改造成了储物仓库，厂里的两名"生活管理员"也转换身份，在别的岗位工作了。

林维松还留意到，来自全国各地的外来工们开始慢慢把广州当做自己的家了。"他们学讲广州话，甚至开始琢磨买房的事。”一位来自湖南岳阳的女工，就用辛苦攒下的3万元，加上借来的1万，作首期在市桥街买下一套价值9万元的房子。

如今，这位女工俨然是厂里的理财明星。“假使哪一天她不想干了，回老家，嘿嘿，那房子能卖30多万！”工友们的口吻中充满了“羡慕嫉妒恨”。其中的相当部分人，开始不想回老家盖房子了，筹划着把钱攒着，“争取在番禺买个二手小单位”。

2013年春，林维松厂子工人的平均工资水平大概是2500元左右，在工厂附近租房，200、300、400元月租的都有，300元或者400元甚至可以租到星级出租屋，这样就能兑换公共服务、拿入户积分。

面对沧桑巨变，林维松感慨万千。现在厂里的工人，70%“厂龄”超过10年，过20年的老员工有26人之多。在林维松看来，这是工厂的巨大财富。他说，出租屋市场的发展，帮了工厂大忙，客观上也起到了挽留工人的作用。他还建议政府在出租屋附近多兴建文体场所，多让租客有家的感觉。“条件成熟的时候，希望政府能让外来工住上廉租房”，林维松对此不无憧憬。

后　记
让公平正义的阳光照进留守的家园

2012年的最后两天，北京、上海和广东几乎同时在中央政府规定的最后时限内出台“异地高考政策”。“北上广”高考新政的出台，被认为是此番针对非户籍人口高考制度改革的重要标杆，虽然三地依旧对非户籍人口“异地高考”设置了不低的门槛，但仍受到望眼欲穿农民工等流动人员家庭的热烈欢呼——不积跬步无以至千里，公平正义的步伐毕竟又艰难地迈出了一小步。

这是近年来国家一系列旨在改善流动人员就业、生活、家庭和发展环境，推动改革发展“共建共享”政策措施的重要一环。2012年7月，国家基本公共服务体系“十二五”规划发布，提出“加快建立农民工等流动人口基本公共服务制度，逐步实现基本公共服务由户籍人口向常住人口扩展”。

伴随城市化进程的不断推进，人口的大规模流动成为当下中国社会一道别样风景，流动人口是国家经济社会发展的“风向标”，社会和谐与活力的“晴雨表”。在工业化、信息化、城镇化和农业现代化的发展中，农村劳动力已经、正在并必将在未来相当长时期内继续大量流入城市。目前我国流动人口占全国总人口的17%，其中农村户籍流动人口约占80%；流动人口的平均年龄约为28岁，“80后”新生代农民工比例达到44.84%。在“北上广”等经济发达地区，这一数字的比例要高得多。

如果说，20世纪上半叶中国革命的根本问题是农民问题，那么，21世纪前20年乃至整个上半叶中国改革发展、现代化建设的根本问题则是农民工问题。农民工问题解决得迟早好坏，不但事关改革发展大局，甚至关乎政权的稳固和国家民族的前途命运。

回首过去10年，有关流动人口的政策“红利”不断破茧而出，给艰难“讨生活”于城市的亿万同胞带来的温暖一拨接一拨：相对平等的子女入园入学、看病就医政策有所松动；与“本地人”共享“保障房”；“积分入户”；居住证替代“暂住证”；农民工“人大代表”、“党代表”相继产生；“城里人、乡下人”“本地人、外地人”等一些强烈对比色彩的字眼正渐渐淡出公众视野……在城市管理者乃至国家最高决策层眼中，“户籍人口”已经不能作为决策的依据，取而代之的是“实有人口”。这是时代发展的要求和必然，反映了社会的文明进步。但还远远不够。

背井离乡四处漂泊的流动人员，“流入易”“融入难”；而对于固守家园的妇幼老弱，留守一样艰难。人口流动的问题“一币两面”：艰辛跋涉的青壮年，以及苦守家园的孩子女人和老人。我们曾经为流动人员的福祉“喊”过一嗓子，尽管这一嗓子“喊”得不那么有乐感，有人欢喜有人纠结，但肺腑之声彰显的是公民的义务和权利。作为《流动中国——中国流动人口生存现状考察》（下称《流动中国》）的姊妹篇，《留守中国——中国农村留守儿童妇女老人调查》（下称《留守中国》）的写作，其实我们在思想上早已作好准备。最初谋划《流动中国》时我们就同时考虑到，应该将视角同时兼顾“流动”和“留守"，我们深知解决好中国未来改革发展的根本问题，实现中华民族伟大复兴的“中国梦”，“流动”和“留守”两大群体犹如车之双轮鸟之两翼。《流动中国》2011年初甫杀青，我们便开始《留守中国》的前期资料收集和考察地点、对象的选择、甄别。

《留守中国》的考察、采写进展一直非常缓慢，一方面大家日常工作事务繁忙，只能利用节假日前往一些地方作“田野调查”；另一方面，《流动中国》面世后习惯性的疲态一直挥之不去，人性使然吧。2012年一个阳光明媚的午后，责任编辑谢海宁告诉我们，《流动中国》在德国法兰克福图书博览会上受到强烈关注，并将翻译成德语和意大利语等多国文字，在欧洲公开出版发行。闻此“利好”，我们如

"打了鸡血"一般，激情急速燃烧，进展快速推进。

我们的团队作了简单分工：李栋主要负责留守儿童的考察采写；王鹤担纲留守妇女部分；徐静主持留守老人那一块；陈翔"机动"一些，既考察采写了留守妇女、留守儿童部分的相当内容，也兼顾有留守老人部分的一些章节；本人作为全书的主要策划人，在考察采写对象的选择把握、书稿的谋篇布局和文字疏理润色定稿上起主要作用。事实上，我们的署名是论资排辈的，按进入广州日报报业集团的时间顺序排定，与对书的打造贡献大小无关。五个人中，除本人是20世纪90年代中进入广州日报报业集团外，其他都是本世纪新晋报团的"后生"：陈翔2003年毕业后加盟到报团；王鹤、李栋同时于2006年进入报团，"王"比"李"笔画上少两画，没得说，"王前李后"；徐静毕业于2007年，自然排名靠后。

本书能顺利出炉，得益于诸多前辈、朋友的鼎力相助。著名政治评论家、《人民日报》原副总编辑周瑞金老师一直对我们的工作以及书的出版以巨大鼓励和帮助，并在百忙中为本书作序，这令我们备受鼓舞。著名青年摄影师、羊城晚报记者邓勃，摄影师杨朝、陆海等新闻界好友，得知我们需要大量有关"流动"和"留守"图片时，慷慨相助，对本书内容的丰满和质量的大幅提升功不可没，他们对"流动"、"留守"人员的浓浓爱心跃然纸上，殷殷可鉴。书中还引用了其他一些熟悉和不熟悉朋友以及网络的文字和图片，在这里不一一列举，一并谢过。

新的时代已经来临。我们期盼新时代有更多的改革“红利”，能带给流动者更多的福祉和公平正义，让留守故园的孩子女人和老人重拾破碎一地的“梦”！

刘旦

2013年4月于广州洛溪